ALLEZ CYMRU!
Wales at Euro 2016

Gary Pritchard

Enjoy the memories!

Gary

ST DAVID'S PRESS
Caerdydd - Cardiff

Published in Wales by St. David's Press,
an imprint of

Ashley Drake Publishing Ltd
PO Box 733
Cardiff
CF14 2YX

www.st-davids-press.wales

First Impression – 2016
ISBN 978-1-902719-52-8

British Library Cataloguing-in-Publication Data.
A CIP catalogue for this book is available from
the British Library.

Page layout by www.TopicalDesign.co.uk, Cornwall
Printed via Akcent Media in the Czech Republic

*Cyflwynir y gyfrol hon i bob Cymro a Chymraes oedd wedi gwirioni'n dwll â champau
ein tîm pêl-droed cenedlaethol yn ystod haf bythgofiadwy 2016.*

*This book is dedicated to every Welshman and Welshwoman who lost their hearts to the
Welsh football team during the unforgettable summer of 2016.*

CYNNWYS - CONTENTS

CYFLWYNIAD

Roeddwn i wedi breuddwydio am gael gwylio Cymru mewn un o brif pencampwriaethau'r byd pêl-droed am flynyddoedd; wedi breuddwydio am gael sticio sticeri ein harwyr mewn llyfr, o weld y Ddraig Goch yn chwifio uwchben y stadiwm, o ganu *Hen Wlad Fy Nhadau* ... ond byth ers sicrhau ein lle yn Ffrainc ar noson hydrefol wlyb ym Mosnia, roeddwn wedi pryderu sut byddai dathliadau hurt y 250 yn Zenica yn trosglwyddo i ddisgwyliadau'r 30,000 o gefnogwyr fyddai'n glanio yn Bordeaux.

Wrth gwrs, doedd dim angen bod wedi poeni am eiliad. Daeth y Wal Goch yn un o olygfeydd eiconig Euro 2016 ac yn un o'r nifer o resymau y bydd haf 2016 yn byw yn hir yng nghof cefnogwyr pêl-droed Cymru. Roedd gennym bump yn y cefn, doedd neb yn cymharu â Joe Ledley, roedd Joe Allen yn rhoi gobaith i ni i gyd ac roedden ni i gyd wedi aros i yfed yr holl gwrw ... i'r fath raddau, nes fod UEFA wedi ein gwobrwyo!

INTRODUCTION

I had dreamed of watching Wales in a major tournament for so many years; dreamed of sticking our heroes into sticker books, of seeing y Ddraig Goch fluttering above the stadium, of singing *Hen Wlad Fy Nhadau* ... but ever since securing our place in France on that wet autumn night in Bosnia I had a sense of trepidation as to how the mad celebrations of the 250 in Zenica would translate to the expectations of the 30,000 fans descending on Bordeaux.

Of course, I need not have worried. The Red Wall became one of the sights and sounds of Euro 2016 and one of the many reasons as to why the summer of 2016 will live long in the memory of Welsh football fans. We had five at the back, with nobody like Joe Ledley, given hope by Joe Allen and we stayed to drink all the beer ... to such an extent that UEFA gave us all an award!

iii

RHAGAIR
gan Nic Parry

Hanes. Mae'n rhan ohono' ni, o'r hyn yda ni, ond, ar brydiau, mae angen ei newid. Pan ddaw'r cyfle prin i wneud hynny, mae'r cyfrifoldeb o'i gymryd yn aruthrol. Derbyn y cyfrifoldeb a'i gofleidio wnaeth ein tîm pel droed cenedlaethol yn Ffrainc yn 2016.

A phan fo hanes newydd yn cael ei greu, mae'r cyfrifoldeb o gofnodi hynny yr un mor fawr. Dyma wedi'r cyfan fydd sail gwybodaeth ac ysbrydoliaeth y cenedlaethau i ddod.

Fum i erioed mor bryderus cyn sylwebu ar unrhyw gem ag yr oeddwn i ar drothwy gem agoriadol Cymru yn erbyn Slovakia yn Bordeaux. 'Doedd dim modd osgoi y ffaith, fe allai hon fod yn fwy na sylwebaeth y funud, fe allai fod yn gofnod am flynyddoedd i ddod. Ac wrth ir daith dyfu'n fwy ac yn fwy rhyfeddol dros fis na welwn efallai ei debyg fyth eto, cynyddu wnaeth y teimlad hwnnw o sylweddoli bod hon yn fwy na stori, roedd hi'n chwedl ac roedd rhaid ei chofnodi'n gywir mewn gair.

Llwyddo i wneud yr un peth wnaeth rhai

o'n cefnogwyr rhyfeddol hefyd, ond drwy gyfrwng arall. Roedd rhaid bod yn Ffrainc i sylweddoli maint y parch a'r edmygedd fu tuag at angerdd, cyfeillgarwch a chwrteisi y cefnogwyr rheiny - fe syrthiodd Ewrob mewn cariad a chefnogwyr tîm Cymru. Ond, fel dengys y gyfrol hon, nid dyna oedd eu oedd eu hunig gymwynas a ni. Aethant ati i gofnodi eu profiadau, a hynny mewn llun.

Eu lluniau hwy sydd yma, eu cofnod real hwy o eiliadau personol, cofnod o iwfforia, o anghrediniaeth, o gyfeillgarwch ac angerdd - y cyfan yn y foment, heb ei gynllunio.

Yn y côf mae'r lluniau gorau wrth gwrs. Yno, cewch eu haddurno, eu lliwio a'u gloywi fel y mynnwch a'ch atgofion personol. Ond, os fydd y côf byth yn pylu, os bydd eiliad yn meiddio mynd ar goll, dyma ichi drysor i ail danio'r atgofion gorau o brofiad bythgofiadwy.

Mwynhewch ail chwarae'r gem drwy lygad cefnogwr cyffredin ein tim cenedlaethol.

to all Welsh football fans from 5 to 105 and will include a stats section and photos of many of the amazing banners that adorned the stadiums and cities of France.

Llyfr llawn-lliw dwyieithog i ddathlu'r mis o bêl-droed anhygoel a'r hwyl aruthrol gafodd cefnogwyr Cymru yn Ffrainc, yn ystod Euro 2016 yw *Allez Cymru a llyfr i'w drysori i gefnogwyr o 5 i 105 mlwydd oed.*

O Bordeaux i Toulouse ac o Lille i Lyon mae *Allez Cymru* yn llawn-dop gyda lluniau'r cefnogwyr sy'n clyfleu'r balchder, emosiwn a chyfeillgarwch o fod yn aelod ffyddlon o'r 'Wal Goch'.

fan who's travelled to over 50 away games countries to support the national team. A football statistician of renown and contributor to Radio Cymru's weekly football show *Ar y Marc*, Gary lives on Anglesey and is a television producer for sports shows such as *Sgorio* and *Y Clwb*.

Mae **Gary Pritchard** wedi bod yn gefnogwr tîm pêl-droed Cymru ar hyd ei oes ac wedi bod i dros 50 o gêmau oddi cartref i gefnogi'r tîm cenedlaethol. Cyfranwr cyson i *Ar y Marc* ar Radio Cymru ac yn arbenigwr ffeithiau pêl-droed adnabyddus, mae Gary yn byw ar Ynys Môn ac yn gynhyrchydd teledu ar raglenni chwaraeon, megis *Y Clwb* a *Sgorio.*

CONTENTS - CYNNWYS

Foreword: Nic Parry
Rhagair: Nic Parry

ST DAVID'S PRESS

post@st-davids-press.com
www.st-davids-press.com

Cyhoeddi safonol ers 1994

Quality publishing since 1994

P O Box 733
Cardiff
Wales
CF14 7ZY
UK

The bibliographic details of the book can be found on the attached Book Briefing.

Please also follow our publications via our social media presence

- www.facebook.com/StDavidsPress
- @StDavidsPress

Upon publication of the review, we would be most grateful if you could alter us and / or send a copy to us at the address opposite (preferably via e-mail).

We look forward to seeing the review in due course.

Ashley Drake
Managing Director

TEL: 029 2021 8187

post@st-davids-press.wales
www.st-davids-press.wales

Quality publishing from Wales since 1994

Cyhoeddi safonol o Gymru ers 1994

Ashley Drake Publishing Ltd

Cofrestrwyd yng Nghymru • Registered in Wales
2970930

Rheolwr Cyfarwyddwr • Managing Director
A. Drake

Rhif TAW • VAT Registration
625461545

St. DAVID'S PRESS

™

P.O. BOX 733
CAERDYDD · CARDIFF
CYMRU · WALES
CF14 7ZY

Dr. R. Gerald Hughes
West Gable
Warren Road
Rhosneigr
Ynys Môn
LL64 5QT

20 March 2018

Re: REVIEW COPY

Please find enclosed a gratis copy of

**ALLEZ CYMRU
Wales at Euro 2016**

for review in

Soccer and Society

ALLEZ CYMRU
Wales at Euro 2016

Gary Pritchard

It is said that the human mind responds far better to an image than a word and the saying, 'a picture paints a thousand words', was never truer than during the fabulous French summer of 2016 when that now famous 'Red Wall', our quite fantastic supporters, rose to the challenge. This is a collection of their photographs, their experiences and memories captured on the front line, a true record of the fervour, happiness and friendship that marked their personal experiences at Euro 2016.

Nic Parry, from his Foreword

Roedd rhaid bod yn Ffrainc i sylweddoli maint y parch a'r edmygedd fu tuag at angerdd, cyfeillgarwch a chwrteisi y cefnogwyr rheiny - fe syrthiodd Ewrob mewn cariad â chefnogwyr tîm Cymru. Ond, fel dengys y gyfrol hon, nid dyna oedd eu hunig gymwynas â ni. Aethant ati i gofnodi eu profiadau , a hynny mewn llun. Eu lluniau hwy sydd yma, eu cofnod real hwy o eiliadau personol, cofiadwy o iwfforia, o anghrediniaeth, o gyfeillgarwch ac angerdd - y cyfan yn y foment, heb ei gynllunio.

Nic Parry, o'i Ragair

Wales at Euro 2016

GARY PRITCHARD

BIBLIOGRAPHIC DATA

December 2016

978-1-902719-528

Large Format Paperback

80pp - Fully illustrated - Colour

£9.99

READERSHIP

Welsh Football

Allez Cymru is a full-colour and bilingual illustrated celebration of that amazing and never-to-be-forgotten summer of football and fun in France when tens of thousands of Welsh fans followed their team to the finals of Euro 2016.

FOREWORD
by Nic Parry

When the opportunity to create history arose, our wonderful national football team embraced it with a style, decency and respect for others that captured the imagination of Europe. For four weeks in the summer of 2016, Europe fell in love with everything Welsh.

That history is now part of us, it will provide inspiration for the next generation who will learn of the values, exemplified by our players and staff, that went far beyond the football field .

With its creation came the need for its accurate recording. Never before have I felt the pressure that plagued me on the eve of commentating on that first match in wonderful Bordeaux against Slovakia. Deep inside I knew that this could be much more than capturing the moment, but rather creating the words that would, perhaps, be repeated for decades to come. As the story developed into dreamland that sense of responsibility was as great as the feverish excitement.

It is said that the human mind responds far better to an image than a word and the saying, 'a picture paints a thousand words', was never truer than during the fabulous French summer of 2016 when that now famous 'Red Wall', our quite fantastic supporters, rose to the challenge. This is a collection of their photographs, their experiences and memories captured on the front line, a true record of the fervour, happiness and friendship that marked their personal experiences.

The best pictures are, of course, those in our head, where we can edit and embellish them as we choose but, should a memory ever fade or if a moment was ever lost, this collection is a treasure to reignite those memories.

Enjoy *Allez Cymru* and re-live the history of Euro 2016 through the raw lens of the ordinary Wales football supporter.

1: BORDEAUX - Stade de Bordeaux 11-6-2016

Ar ôl blynyddoedd o freuddwydio ac ar ôl blynyddoedd o wylio cefnogwyr gwledydd eraill yn mwynhau eu hunain pob yn ail haf, roedd y Cymry, o'r diwedd, wedi cyrraedd.

"Mae hi fel Eisteddfod yma!" Dyna oedd y gri gan nifer o Gymry wrth grwydro o amgylch Bordeaux. Doedd dim posib cerdded mwy na rhyw bedwar cam o un bar i'r llall cyn taro ar wyneb cyfarwydd arall o Gymru.

Ond gyda llifoleuadau'r Vetch, llaw Joe Jordan a thrawst Parc yr Arfau yn parhau i fod yn fyw yn y cof, doedd gan yr un o'r sgyrsiau am y gêm oedd i ddod unrhyw dinc o hyder.

"A bod yn onest, dwi'n ddigon hapus i fod wedi cyrraedd," oedd y farn gyffredinol. "Gobeithio na fyddwn yn gwneud smonach o bethau."

Ond wrth i'r cwrw a'r gwin ddechrau llifo, daeth gobaith o'r newydd gyda'r sgwrs yn troi o, "Gobeithio cawn ni gôl i'w dathlu" i, "Da chi'n deall bod modd curo Slofacia, tydach?"

Having waited 58 years to appear at a major tournament the Welsh weren't willing to wait a single second more, as more than 30,000 Welsh fans poured into Bordeaux for the opening match.

Flags from Risca to Rhosneigr were draped outside almost every bar and restaurant in the city centre as the Welsh invasion took hold and the party began.

However, the excited hordes were far from confident. "I'm just happy to be here," was possibly the most often heard phrase of that incredible Saturday morning … apart from "deux bière s'il vous plait"!

As the beer flowed, inhibitions were lowered and, almost exponentially, it seemed that expectations were raised.

Suddenly, the thinking had gone from, "I hope we don't disgrace ourselves" and, "It would be great to have a goal to celebrate" to, "you do realise we can win today, don't you?"

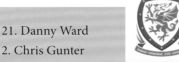

21. Danny Ward	23. Matúš Kozáčik
2. Chris Gunter	4. Ján Ďuríca
3. Neil Taylor	3. Martin Škrtel ▫ 90'
4. Ben Davies	18. Dušan Švento
5. James Chester	2. Peter Pekarik
6. Ashley Williams	17. Marek Hamsik
7. Joe Allen	13. Patrik Hrošovský ▫ 31'
10. Aaron Ramsey	⇄ (8. Ondrej Duda 60' ⚽ 61')
⇄ (15. Ashley Richards 88')	19. Juraj Kucka ▫ 83'
14. David Edwards	21. Michael Ďuriš
⇄ (16. Joe Ledley 69')	⇄ (11. Adam Nemec 59')
20. Jonathan Williams	7. Vladimír Weiss ▫ 80'
⇄ (9. Hal Robson-Kanu 71' ⚽ 81')	⇄ (10. Miroslav Stoch 83')
11. Gareth Bale ⚽ 10'	20. Róbert Mak ▫ 78'

Eilyddion / Subs (heb eu defnyddio /unused):

1. Wayne Hennessey	1. Jan Mucha
8. Andy King	5. Norbert Gyömber
12. Owain Fôn Williams	6. Jan Gregus
13. George Williams	9. Stanislav Sestak
17. David Cotterill	12. Jan Novotna
18. Sam Vokes	14. Milan Skriniar
19. James Collins	15. Tomas Hubocan
22. David Vaughan	16. Kornel Salata
23. Simon Church	22. Viktor Pecovsku

Torf / Attendance: 37,831

Dyfarnwr / Referee: Svein Oddvar Moen

Bordeaux

2

A vast ocean of red shirts and bucket hats was all anyone could see by mid-afternoon on match day, as tens of thousands of Welsh fans managed to overcome an early morning public transport strike to find their way into the centre of the city.

There were small pockets of equally cheerful Slovakian fans but they were soon overwhelmed as the Welsh fans poured into … and out of … every bar in every square and every alleyway in Bordeaux helping create one of the best pre-match atmospheres I have ever savoured.

It was turning into a perfect day and we hadn't even reached the stadium!

SO58

FROM BALA

TO BORDEAUX

Doedd neb wir yn siwr sut 'na beth fyddai'n digwydd yn Bordeaux, roedden ni wedi disgwyl mor hir ac wedi edrych ymlaen mor eiddgar, roeddwn i wir yn poeni os fyddai'r holl beth yn dipyn o fatsen wlyb.

Beth fyddai'n digwydd petai'r achlysur yn drech na ni? A fyddai pawb oedd yn teithio yn deall y pwysigrwydd? Ond doedd dim angen poeni. Gyda degau o filoedd o Gymru yn tyrru i Bordeaux roedd y ddinas yn fôr o grysau coch ac yn un o sŵn canu erbyn ganol y prynhawn.

Roedd y diwrnod yn berffaith …
a doedden ni heb hyd yn oed
gyrraedd y maes eto!

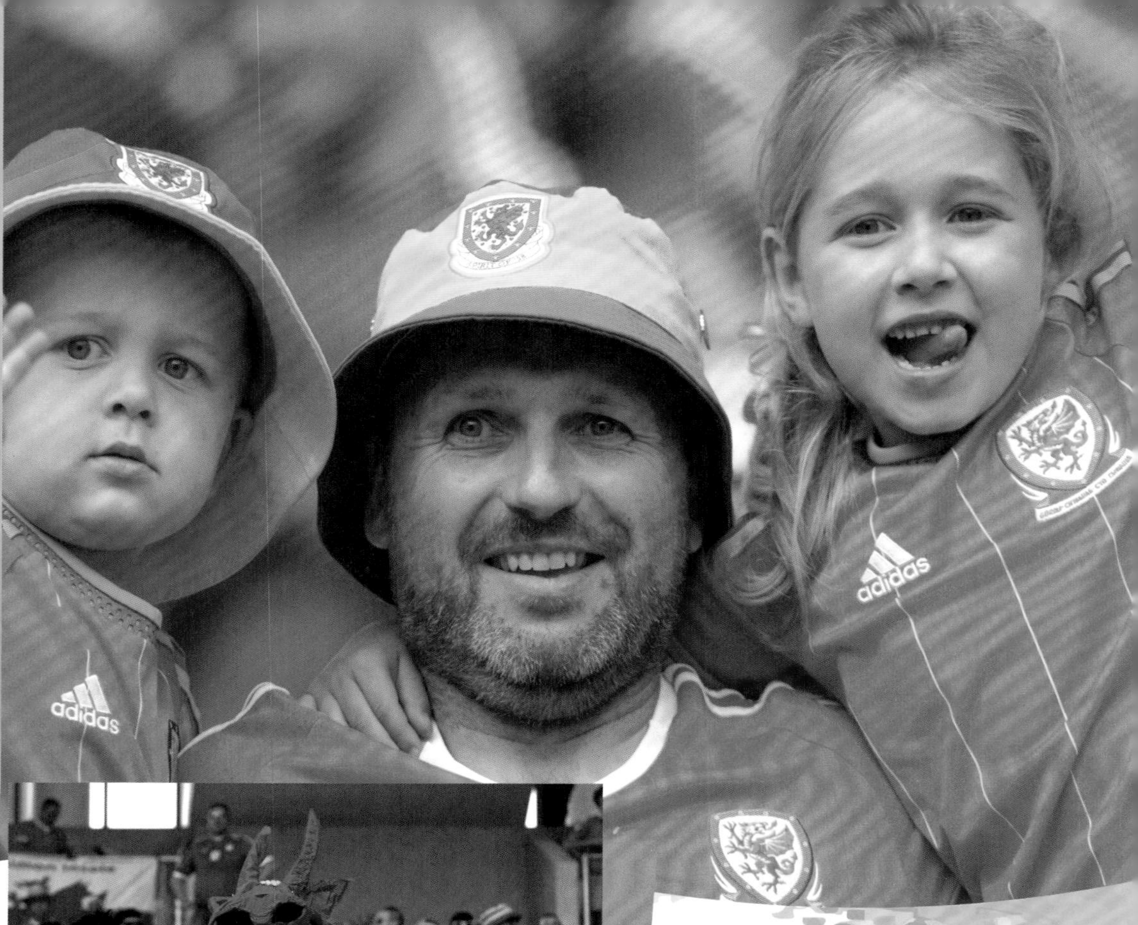

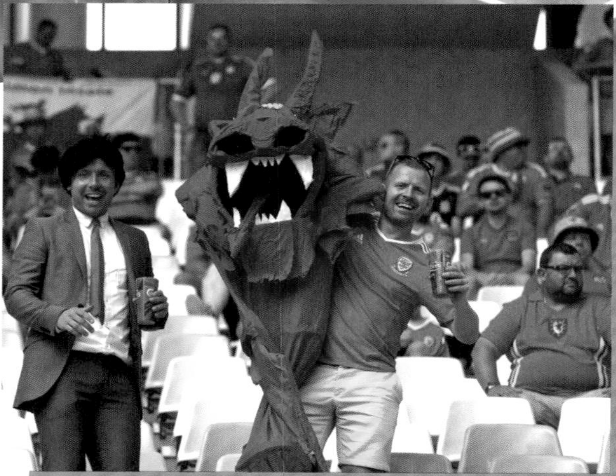

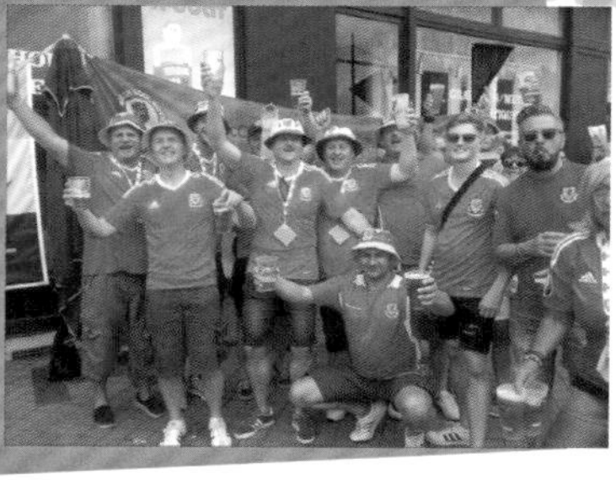

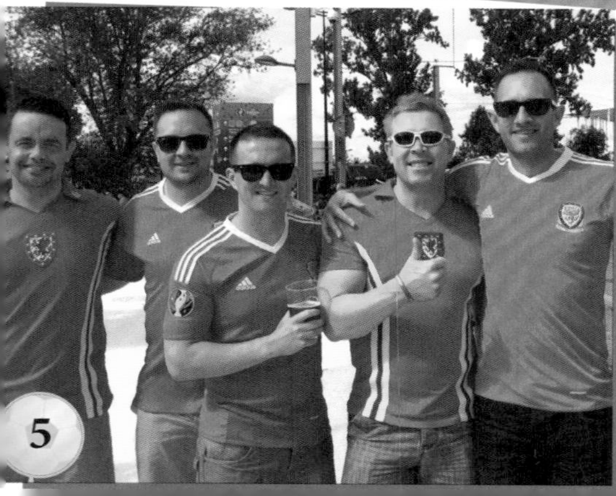

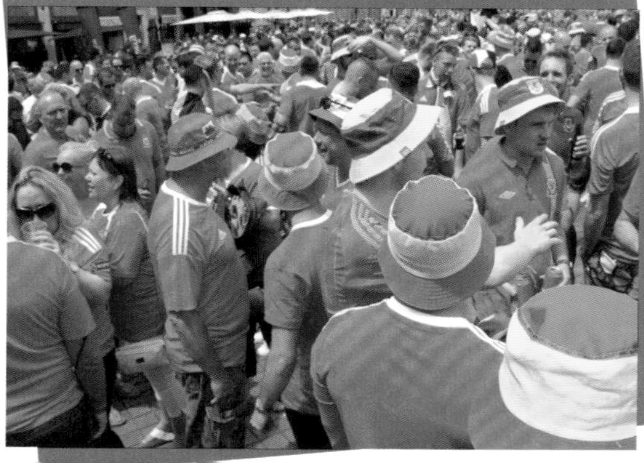

Roedd hyd yn oed Vinnie Jones a dyddiau du Bobby Gould yn cael eu cofio wrth i Elliw Gwawr wisgo ei chrys â balchder: "Dwi'n cofio ni'n colli yn erbyn Moldofa a Georgia a chael crasfa yn yr Iseldiroedd efo Vinnie yn gapten. Breuddwyd gwrach oedd cyrraedd yr Euros bryd hynny, ond mae methiannau'r gorffennol yn sicrhau fod dathliadau'r presennol yn fwy perthnasol."

"Dio'm yn mynd i drio o fana, nacdi? Mae honna rhy bell allan." Dyna oedd y gri o'n cwmpas ni eiliadau cyn i Gareth Bale dwyllo'r golwr a sbarduno'r dathliadau mwyaf bendigedig ymysg y Wal Goch o Gymry yn y Stade de Bordeaux.

"He's never going to score from there, it's way too far out," said several voices around us as Gareth Bale paced out his free kick. Seconds later, the very same voices were screaming in delight as the Red Wall exploded in celebration.

It was Gareth Bale who first used the now famous description of the Welsh support. "We call it the Red Wall," he told the media. "To see the stadium like that, our colour, it's like a home game and it's incredible. You hear the stories coming back from home, which make you smile and make you laugh and hopefully we can keep giving them more stuff to celebrate." ... and didn't they just!

Daeth gôl Slofacia fel pin i swigen y Cymry, ond deled yr awr, deled y dyn a daeth arwr y teras, Hal Robson Kanu i'r maes fel eilydd yn yr ail hanner.

Gyda llai nag 20 munud yn weddill, llwyddodd Robson-Kanu i gasglu pas Aaron Ramsey ar ochr y cwrt cosbi a rhwydo â'r gic hosan orau yn hanes y byd pêl-droed!

The disappointment of seeing Slovakia equalise brought about a, "Here we go again" feeling amongst the crowd but, cometh the hour, cometh the man as cult hero, Hal Robson-Kanu was brought on as a second half substitute.

With less than 20 minutes remaining, Robson-Kanu collected Ramsey's pass on the edge of the area to score with the best scuffed shot in the history of football!

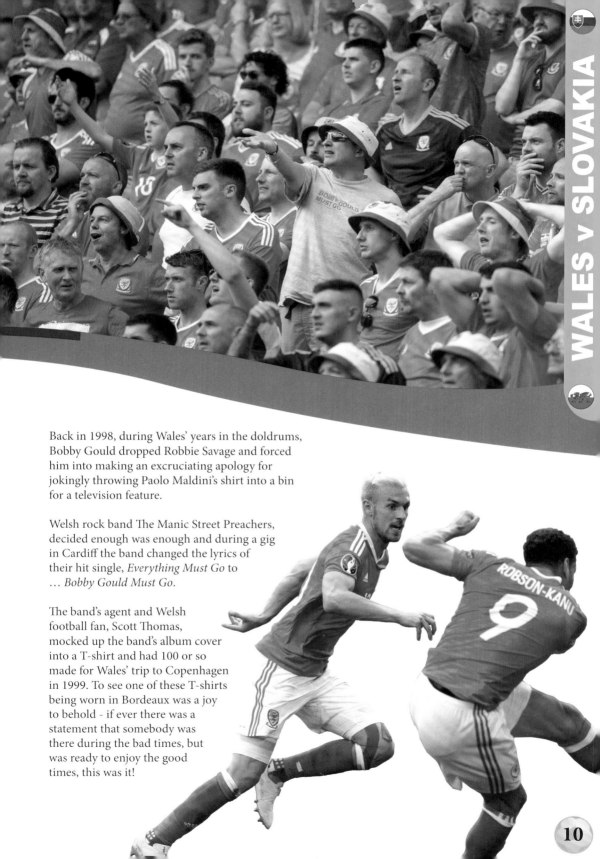

Back in 1998, during Wales' years in the doldrums, Bobby Gould dropped Robbie Savage and forced him into making an excruciating apology for jokingly throwing Paolo Maldini's shirt into a bin for a television feature.

Welsh rock band The Manic Street Preachers, decided enough was enough and during a gig in Cardiff the band changed the lyrics of their hit single, *Everything Must Go* to … *Bobby Gould Must Go*.

The band's agent and Welsh football fan, Scott Thomas, mocked up the band's album cover into a T-shirt and had 100 or so made for Wales' trip to Copenhagen in 1999. To see one of these T-shirts being worn in Bordeaux was a joy to behold - if ever there was a statement that somebody was there during the bad times, but was ready to enjoy the good times, this was it!

Wrth edrych yn ôl ar yr haf, megis dechrau oedd y daith ar y prynhawn arbennig yma yn erbyn Slofacia, ond ar y pryd, doedd neb yn siwr os mai dyma fyddai'r tro diwethaf i ni allu mwynhau dathlu.

Cymrodd oes i ni adael y stadiwm wrth i ni ymhyfrydu yn y fuddugoliaeth a'r achlysur. "S'il vous plait, Monsieur, it is time to go home now," meddai'r stiwardiaid wrth i ni fwrw ati i gymryd "un llun arall"!

Ar ôl llongyfarch a chofleidio pob Cymro a Chymraes mewn golwg, roedd yn daith bleserus yn ôl i ganol Bordeaux wrth i ni fyfyrio ar yr hyn oedd wedi digwydd.

Roedden ni ar frig y grŵp, ac roedd hi'n amser dathlu!

In hindsight, the incredible journey upon which we were about to embark was only just beginning on that incredible Saturday afternoon against Slovakia.

We took an absolute age to leave the stadium, as we were determined to enjoy every single second of the atmosphere and the sweet taste of victory, after all, who knew how long it would last?

As the hordes of Welsh fans poured onto buses and trams to make their way back into the city centre, there was a sense of incredulity that we had won, we were top of the group and no, we weren't going to be the whipping boys after all.

It was time to celebrate!

2: LENS - Stade Bollaert-Delelis 16-6-2016

Wrth i'r enwau ddod allan o'r het ar gyfer rowndiau terfynol Euro 2016 dwi'n cofio'n iawn yr ochenaid o rwystredigaeth wrth i Gymru orffen yn yr un grŵp a'n cymdogion. Nid bod dyn eisiau osgoi Lloegr am resymau pêl-droed. Gyda Gareth Bale ac Aaron Ramsey yn y tîm doedd dim angen i Gymru fod ofn unrhyw dîm.

Y rheswm pennaf am y rhwystredigaeth a'r siom oedd ein bod ni'r Cymry am gael ein antur ein hunain a chael sylw am ein campau ni'n hunain, nid am ein bod yn disgwydd bod yng ngrŵp Lloegr, fel roedd y wasg yn mynnu galw Grŵp B.

Ond wrth i'r Wal Goch baratoi i deithio'r 500 milltir i'r gogledd o Bordeaux, Cymru oedd ar frig y grŵp, diolch i'r fuddugoliaeth yn erbyn Slofacia a diolch i gôl hwyr Vasili Berezutski i Rwsia yn erbyn Lloegr ym Marseilles.

Byddai Lens yn brofiad newydd i gefnogwyr Cymru. Roedd Bordeaux wedi teimlo fel gêm gartref, diolch i'r miloedd ar filoedd oedd wedi ymgynnull yno … ond yn Lens roedden ni yn mynd i fod yn leiafrif bychan iawn.

When the draw was made for the group stage of the Euro 2016 finals, it would have been impossible to dampen the spirits of the Welsh fans, after all, who were we to be fussy about our opponents when we'd waited so long to actually be at a major tournament?

Having said that, I can't think of many Welsh fans who were happy to see Wales being drawn alongside England. We wanted to be doing our own thing, enjoying our own adventure and not suddenly becoming part of "England's group", as the media insisted on calling Group B.

However as the Red Wall prepared to travel the 500 miles north from Bordeaux, it was Wales who were top of the group thanks to the win against Slovakia and thanks to Vasili Berezutski's stoppage time equaliser for Russia against England in Marseilles.

Lens would be another new experience for Wales fans. Bordeaux felt like a home game thanks to the thousands of Welsh fans ... but in Lens we were to be heavily outnumbered.

1. Joe Hart	1. Wayne Hennessey
5. Gary Cahill	2. Chris Gunter
3. Danny Rose	3. Neil Taylor
2. Kyle Walker	4. Ben Davies ▉ 61'
17. Eric Dier	5. James Chester
6. Chris Smalling	6. Ashley Williams
8. Adam Lallana	7. Joe Allen
⇄ (22. Marcus Rashford 73')	10. Aaron Ramsey
7. Raheem Sterling	16. Joe Ledley
⇄ (15. Daniel Sturridge 46' ⚽ 90'+1)	⇄ (14. David Edwards 67')
20. Dele Alli	9. Hal Robson-Kanu
10. Wayne Rooney	⇄ (20. Jonathan Williams 72')
9. Harry Kane	11. Gareth Bale ⚽ 42'
⇄ (11. Jamie Vardy 46' ⚽ 56')	

Eilyddion / Subs (heb eu defnyddio /unused):

4. James milner	8. Andy King
12. Nathaniel Clyne	12. Owain Fôn Williams
13. Fraser Forster	13. George Williams
14. Jordan Henderson	15. Ashley Richards
16. John Stones	17. David Cotterill
18. Jack Wilshere	18. Sam Vokes
19. Ross Barkley	19. James Collins
21. Ryan Bertrand	21. Danny Ward
23. Tom Heaton	22. David Vaughan
	23. Simon Church

Torf / Attendance: 34,033   Dyfarnwr / Referee: Felix Brych

Lens

It was an early morning call for some fans who had decided to make the long journey north by flying from Bordeaux on the morning of the match. Despite the weather, it wasn't possible to dampen the spirits of the 30 or so Wales fans in amongst the besuited, bespectacled, business types on the aeroplane, who were a bit shocked to find their croissants and coffee disturbed by renditions of *Men of Harlech* and calls for more beer!

Roedd disgwyl mwy o gefnogwyr pêl-droed yn Lens ar gyfer y gêm rhwng Cymru a Lloegr na sydd o boblogaeth yn y dref fechan ddiwydiannol yng ngogledd orllewin Ffrainc ac roedd y wasg yn llawn o ddarogan och a gwae am yr hyn fyddai'n digwydd ar ddiwrnod y gêm.

Ond er gwaetha'r holl ddarogan dros ben llestri, doedd dim apocalyps yn Lens.

I arrived in Lens in the rain, greeted by a corridor of armed police and a dance version of *God Save the Queen* playing outside the pub across from the station.

The press had been warning us that this match was going to see an invasion of hooligans hell-bent on causing mayhem ever since the draw had been made, but whilst I hadn't expected a tea party I was pleasantly surprised by the atmosphere on Lens' main street.

A thra nad pawb oedd yn disgwyl cyflafan ar y strydoedd, doeddwn i'n sicr ddim yn disgwyl yr awyrgylch parti oedd i'w gael yn y dref wrth i gefnogwyr Cymru a Lloegr rannu straeon, rannu sawl peint a hyd yn oed fwynhau gêm anferthol o bêl-droed!

As Wales and England fans swapped stories and shared pints the skies lightened just enough to allow for an Anglo-Welsh kickabout between the boarded-up shop fronts.

Roedd ffrind i mi wedi disgrifio'r gêm fel gêm oddi cartref ar gae niwtral gan fod cymaint o gefnogwyr Lloegr wedi llwyddo i gael tocynnau.

Ond fel pob gêm yn erbyn y brawd mawr drws nesaf, doedd niferoedd ddim yn ein poeni ni, roedd na ddigon o angerdd gan y Cymry ... wel dyna ddwedodd Gareth Bale beth bynnag!

The sheer number of England fans in the stadium meant the game was almost like an away game on neutral territory, as so many England fans had managed to get tickets.

But, much like every game against the big brother next door, we may have been outnumbered yet we made up for it with our sheer passion ... just ask Gareth Bale!

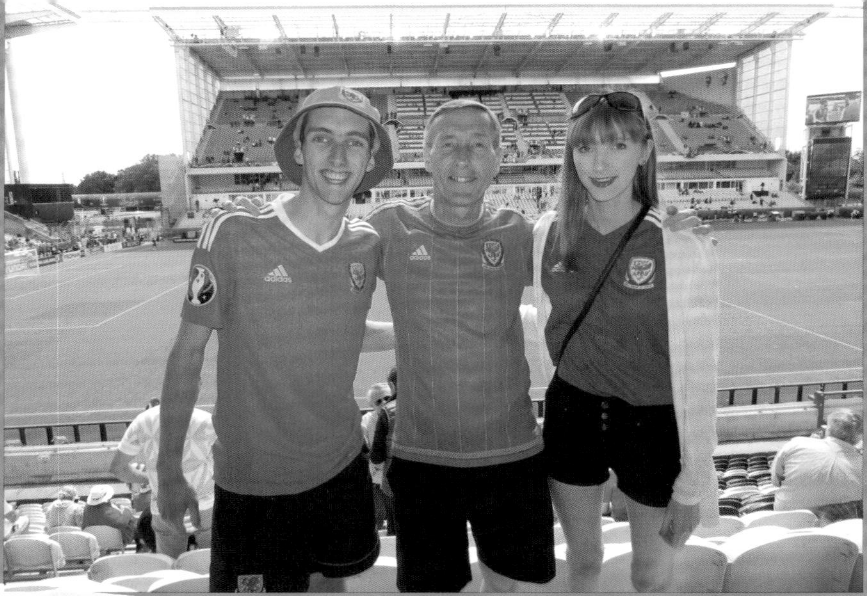
adidas
adidas

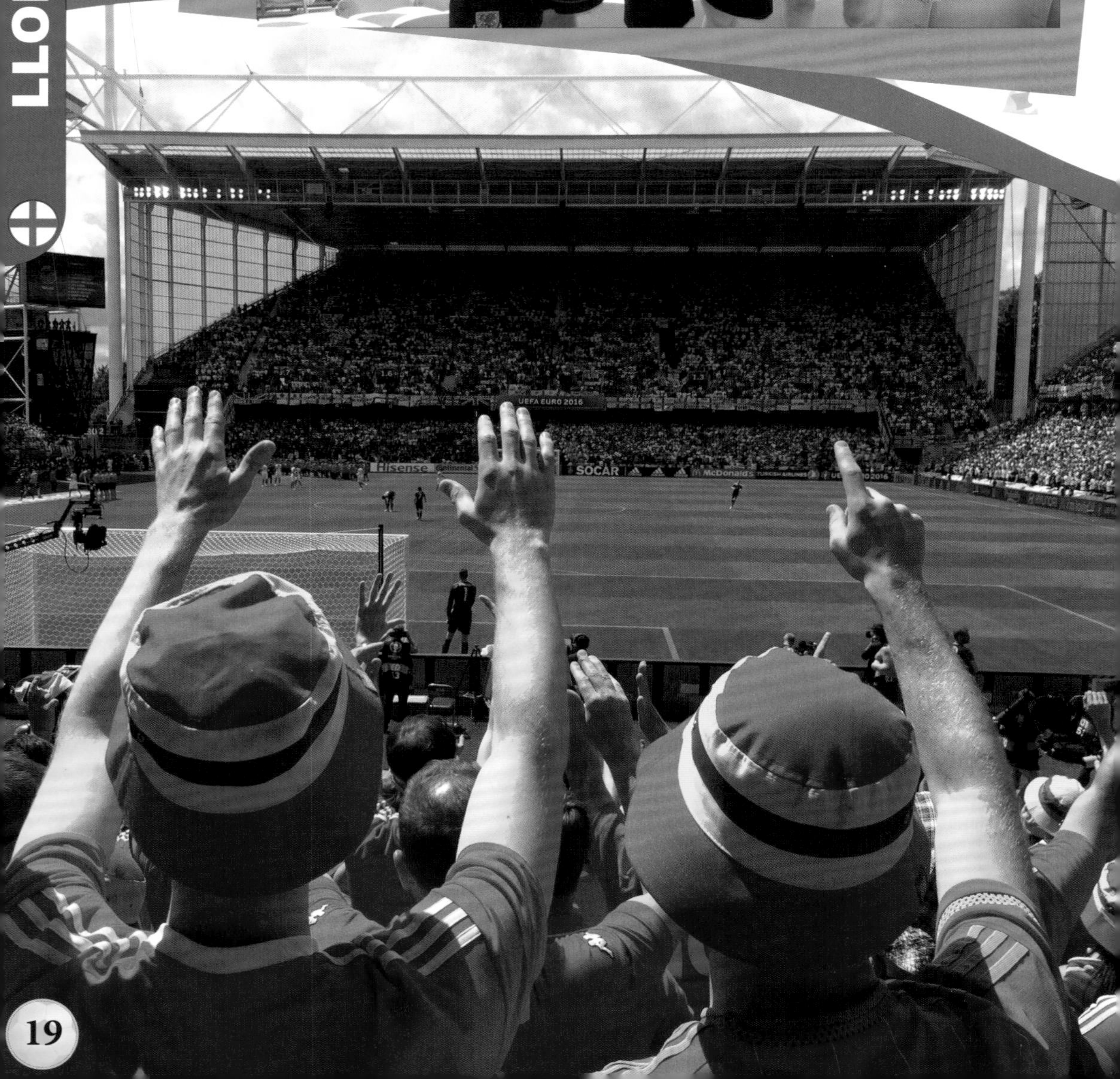
UEFA EURO 2016
Hisense
SOCAR
McDonald's

GLASCOED

BLAENAU FFESTINIOG

Y FFLINT

SWANSEA CITY

BAGILLT

MENAI BRIDG

Roedd y dathliadau yn ein cornel fechan goch pan lwyddodd Gareth Bale i roi Cymru ar y blaen ymysg y dathliadau mwyaf gwallgof rwyf erioed wedi brofi.

Do, fe sgoriodd Bale o bellter yn erbyn Slofaci, ond doedd o ddim am wneud yr un peth yn erbyn Jo Hart, nagoedd?

Choosing one photograph, just one abiding memory from the Euros in France, is an impossible task. However, the sight of Chris Gunter approaching the Welsh fans at the end of the game in Lens is one memory which will stay with me forever.

We hadn't arrived in north west France expecting a victory, the many Welsh fans on our early morning flight from Bordeaux to Lille had been incredibly realistic about our chances; some might say incredibly pessimistic when you consider that Roy Hodgson's team were far from being world beaters.

Yet England's winner, in the last few seconds of the match, had left the Welsh end numb with disappointment.

When Gareth Bale became the first Welsh player to score against England since Mark Hughes in 1984, the celebrations in the Welsh end took on an almost surreal feeling. We weren't going to beat England for the first time in over 30 years were we?

Even after the inevitable equaliser, Wales had shown they were more than a match for England and the atmosphere in the Wales end remained celebratory, even if it was all tinged with an overriding feeling of nervousness as the minutes ticked away.

The one phrase which has been bandied about in all my time of following Wales away from home is that it's not the disappointment that gets you … it's the hope.

And once again, that hope, that incredible, feeling that we were about to get one over on our nearest

and dearest rivals is what got to us. With 90 minutes played, we were going to get a vital draw, an unexpected point and we were going to remain top of the group.

The England fans in the stadium were imploring their team to attack - a draw was tantamount to defeat as far as they were concerned. We, on the other hand, were anticipating an unexpected, yet delightful, point … then up stepped Daniel Sturridge and that hope, that expectation had got us again.

When Chris Gunter made his way over to our end of the ground telling us to keep our chins up, I'm not too proud to say that I almost burst into tears!

That moment crystallised the whole #TogetherStronger campaign. We were as one with the squad. They shared our gut wrenching feeling of disappointment, but like us, they would pick themselves up and go again in Toulouse.

3: TOULOUSE - Stadium de Toulouse 20-6-2016

Gyda'r newyddion yn llawn o straeon am hwliganiaid o Rwsia yn paratoi i greu hafoc yn Toulouse cyn y gêm yn erbyn Cymru, bydda'i rhywun wedi maddau i'r Cymry am gadw'n glir o'r ddinas cyn hired â phosib … ond roedd y Super Furry Animals yn chwarae mewn gŵyl yn y ddinas ar y penwythnos cynt, felly roedd miloedd o Gymry wedi cyrraedd y ddinas yn gynnar ar gyfer parti a hanner!

Roedd yn amlwg fod y gig yn mynd i fod yn wahanol iawn i'r arfer oherwydd y nifer fawr o hetiau bwced Cymreig a chrysau pêl-droed Cymru oedd yn y gynulleidfa, ond roedd y corws o "Hal, Robson, Hal Robson-Kanu" gafodd ei arwain gan Cian yng nghanol y set yn swreal dros ben!

Ar ôl y siom o ildio gôl yn yr eiliadau olaf yn erbyn Lloegr, roedd 'na gryn dipyn o fathemateg i geisio darogan pwy fyddai'n mynd trwodd a phwy fyddai'n chwarae yn lle yn y rownd nesaf. Roedd y rhai mwyaf hyderus yn ein mysg wedi bwcio eu taith i Nice yn barod; dyma lle fyddai'r ail dîm yn ein grŵp yn chwarae yn y rownd nesaf. Na, doedd neb yn breuddwydio am ennill y grŵp a chael teithio i Baris!

With news bulletins full of stories of the Russian hooligans' intention to wreak havoc in Toulouse ahead of their final group game with Wales, one could have forgiven the Welsh fans had they decided to steer clear of the city until the very last minute.

However, Welsh fans' favourites, the Super Furry Animals, were playing the Rio Loco festival the weekend before the match … cue the arrival of thousands of red-shirted, bucket hat wearing fans intent on having a damn good time! Seeing Cian leading a chorus of "Hal, Robson, Hal Robson-Kanu" in the middle of the set has to be one of the most surreal moments of the summer!

After the disappointment of the last-minute defeat to England in Lens, the pre-match chatter was more akin to an algebra lesson. "If x gets 3 points then y needs 1 point and z ends up in Marseilles … possibly!" The more confident amongst the Welsh support had booked for Nice, which is where the second placed team in Group B would end up … nobody was even dreaming about winning the group and heading to Paris!

1. Igor Akinfeev
4. Sergei Ignashevich
14. Vasili Berezutskiy
 (6. Aleksei Berezutskiy 46')
23. Dmitri Kombarov
3. Igor Smolnikov
8. Denis Glushakov
11. Pavel Mamaev
10. Fedor Smolov
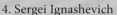 (19. Aleksandr Samedov 70')
9. Aleksandr Kokorin
22. Artem Dzyuba
15. Roman Shirokov
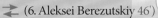 (13. Aleksandr Golovin 52')

0

1. Wayne Hennessey
2. Chris Gunter
3. Neil Taylor ⚽ 20'
4. Ben Davies
5. James Chester
6. Ashley Williams
7. Joe Allen
⇄ (14. David Edwards 74')
10. Aaron Ramsey ⚽ 11'
16. Joe Ledley
⇄ (8. Andy King 76')
18. Sam Vokes ▢ 18'
11. Gareth Bale ⚽ 67'
⇄ (23. Simon Church 83')

3

Eilyddion / Subs (heb eu defnyddio /unused):

12. Yuri Lodygin
21. Georgi Schennikov
16. Guilherme
20. Dmitri Torbinski
5. Roman Neustädter
2. Roman Shishkin
18. Oleg Ivanov
17. Oleg Shatov
7. Artur Yusupov

9. Hal Robson-Kanu
12. Owain Fôn Williams
13. George Williams
15. Ashley Richards
17. David Cotterill
19. James Collins
20. Jonathan Williams
21. Danny Ward
22. David Vaughan

Torf / Attendance: 28,840

Dyfarnwr / Referee: Jonas Eriksson

Toulouse

Roedd y Cymry yn gartrefol yn Toulouse hyd yn oed cyn y gêm!

There was a reason we felt so at home in Tolouse!

Bing Bong!
Noson anhygoel efo'r Super Furry Animals yng ngŵyl Rio Loco.

What a Super Furry night that was in Toulouse.

27

As Wales fans gathered in the bars and squares of Toulouse, there was no sign of the baseball bat wielding Russians we had been told to expect ... quite the opposite, in fact! Russian fans in national costume were happy to be photographed as they walked through the singing hordes of happy Welsh fans.

Am yr ail gêm yn olynol, roedd yr awyrgylch yn y dref yn dra gwahanol i'r hyn roedd y wasg wedi ein rhybuddio i'w ddisgwyl. Roedd baneri di-ri wedi eu crogi yn yr amryw sgwariau o amgylch y ddinas wrth i'r Cymry fwynhau'r heulwen a thynnu lluniau gyda'r Rwsiaid oedd wedi dod i'r gêm yn eu gwisg traddodiadol.

28

Wrth i'r haul fachlud ar ddiwrnod hyfryd arall yn Ffrainc, a gyda seiniau swynol *Hen Wlad Fy Nhadau*'n esgyn dros yr Afon Garonne, roedd 'na elfen o nerfusrwydd ymysg y Cymry mai dyma fyddai ein gêm olaf yn y gystadleuaeth.

Ond wedi 10 munud cafwyd eiliad o athrylith gan Joe Allen wrth iddo fwydo Aaron Ramsey â phas odidog o ganol cae a chododd Ramsey y bêl yn feiddgar dros y golwr ac i gefn y rhwyd. O'r eiliad hwnnw ymlaen, doedd na'm peryg y byddem yn gorfod dychwelyd gartref am o leiaf wythnos fach arall!

There will always be something magical about walking up the steps and out into a stadium for the first time. We'd spent the best part of two days before that moment working through all the permutations needed for Wales to qualify from the group, but from the moment we first emerged into the Toulouse twilight inside the Stadium Municipal the confidence just grew and grew. Before Joe Allen's pass had even reached Aaron Ramsey for the opening goal, even a seasoned pessimist like me knew we were going to win.

They say that a red sky at night is a shepherd's delight and, whilst we may well sing self-deprecating songs about 'sheep worrying', there are probably very few shepherds amongst the Wales fans. However, the red sky that night over Stade de Toulouse was to lead to incredible delight for the thousands of Wales fans lucky enough to witness such an epic performance.

Roeddwn i wedi cael llond bol o bobl yn honni mai tîm un dyn oedd Cymru a gyda hyd yn oed Neil Taylor yn sgorio gôl … gŵr oedd heb sgorio gôl o unrhyw fath ers rhwydo dros Wrecsam yn 2010, efallai byddai'r bobl hynny yn dechrau meddwl ddwywaith cyn beirniadau!

"3-0, even Taylor scored!" sang the Wales fans as the Swansea defender scored his first ever international goal and his first goal in senior football since scoring for Wrexham against Grays Athletic in 2010!

Roedd y golygfeydd ar ddiwedd y gêm yn rhai bythgofiadwy, yn enwedig wedi i'r newyddion ein cyrraedd fod Lloegr a Slofacia wedi cael gêm gyfartal yn Saint Étienne oedd yn golygu ein bod ni wedi gorffen ar frig y grŵp … ac ar y ffordd i Baris!

Dydwi ddim yn credu fod y band oedd yn chwarae ar y lawnt tu allan i'r stadiwm erioed wedi cael torf mor orfoleddus yn dawnsio a chanu o'u blaenau a dwi'n amau yn gryf os yw Toulouse erioed wedi gweld cymaint o ddynion yn eu hoed a'u hamser yn cofleidio ei gilydd tra dan deimlad!

'Ain't nobody, like Joe Ledley,
Makes me happy, makes me feel this way!'

34

After all the talk of mobs of Russian hooligans, and despite their team's demolition and the fact they were out of the tournament, it seemed the most dangerous thing about the Russians in Toulouse that night was the amount of alcohol they insisted on sharing!

This was particularly true for a group of Wrexham fans who, whilst still euphoric about the performance, bumped into some fishermen from Lake Baikal:

"On leaving the ground we were still on an incredible high and intent on finding a bar in which to celebrate.

Outside the first bar we found were a group of Russians draped in their national flag. The largest was the size of a Siberian bear but thankfully these weren't the thugs who had wreaked havoc in Marseilles and, having quickly established that "vodka" is the same in English, Welsh or Russian, a round of shots arrived!

Despite the 3-0 demolition they were in high spirits and somehow during our drink-fuelled conversations in stuttering English and hilarious mimes, we learnt they were fishermen from Lake Baikal and that their interesting looking hats were traditional headwear from the region.

Thanks to my watching Michael Palin on television over the years, I was able to inform them with great authority that Lake Baikal was in fact the world's largest fresh water lake and contains a fifth of the world's fresh water.

In hindsight, I suspect they already knew this, however they seemed suitably impressed and handed me another vodka!"

Does bosib fod Cymru wedi chwarae cystal â hyn ers blynyddoedd maith. Dyma'r perfformiad mwyaf caboledig rwyf wedi cael y pleser o'i wylio gan dîm rhyngwladol Cymru ers cyn cof ac roedd yr awyrgylch yn yr eisteddle yn wefreiddiol gyda'r cefnogwyr ar ben eu digon.

Mae'n bosib fod ein meddyliau wedi crwydro yn ôl i'r golled yn erbyn Rwsia yng ngemau ail gyfle Euro 2004 cyn y gêm, ond y gwirionedd yw fod yr achlysur yma yn golygu llawer mwy na thalu'r pwyth yn ôl.

Roedd y tîm yma bellach wedi cyrraedd rowndiau olaf un o brif bencampwriaethau'r byd pêl-droed. Roedd y chwaraewyr a'r cefnogwyr wedi cyrraedd lefel newydd, lefel hollol uwchlaw poeni am gam a gafwyd dros ddegawd yn ôl ac roedden ni'n aros yn Ffrainc am ychydig hirach!

This was possibly the most complete performance by a Welsh international side in living memory. Russia weren't just beaten, they were demolished by a Welsh side full of confidence and spurred on by an army of fans high on passion and drunk on the experience of just being at the Euros.

Some people suggested this result was some sort of pay back for the Euro 2004 play-off defeat, but the truth is that we no longer had to feel sorry for ourselves over a decade-old missed opportunity.

We were now into the knockout stages of a major tournament and we, the players and the fans, had moved onto a different level, and we were staying in France for a little bit longer!

4: PARIS -Parc des Princes 25-6-2016

"Ç'est combien?" oedd y gri gan y rhan fwyaf o gefnogwyr Cymru wrth i ni gyrraedd Paris. Un o ddinasoedd hyfrytaf y byd … ond hefyd, un o ddinasoedd drytaf y byd. Er gwaetha'r prisiau o €10 y peint … Ia, €10 … roedd angen ambell i beint o gwrw i setlo'r nerfau cyn wynebu Gogledd Iwerddon.

Yr ofn mwyaf o fod yn wynebu Gogledd Iwerddon fyddai'r siom anferthol o golli yn eu herbyn a gweld tîm arall o Ynysoedd Prydain yn camu ymlaen i rownd yr wyth olaf tra'n bod ni'n gorfod troi am adref. Y farn gyffredinol yn y bariau o gwmpas Parc des Princes oedd ein bod ni'n rhy dda i golli yn eu herbyn. Nid bod yn hunangyfiawn oedd hynny, wedi'r cwbwl, roedden ni wedi chwalu Rwsia llai nag wythnos ynghynt. Ond 'dyw bod yn ffefrynnau ddim yn rhywbeth mae cefnogwyr Cymru'n gyfarwydd ag o, felly roedd na gryn nerfusrwydd wrth i ni gychwyn tua'r stadiwm!

It could have been Albania, it could have been Turkey but it ended up being Northern Ireland. We were heading to Paris and the last-16 of a major tournament, but we couldn't help feel a little bit underwhelmed because, for the second time in the tournament, we would be facing another of the 'home' nations.

Playing Northern Ireland was a bit of a double-edged sword. For one thing, and without being arrogant, we really could … and should beat them … but, and this was the worst bit, it was just as possible that we could lose. Seeing another 'home' nation going through to the quarter-finals at our expense would be too much to bear now that we had come so far. Win and we would be in the last eight of the European Championships. Lose and we would be going home ruing a missed opportunity.

Were we nervous? You bet, we were! And even at €10 a pint, that nervousness was being helped by a few beers in the bars surrounding Parc des Princes.

1. Wayne Hennessey
2. Chris Gunter
3. Neil Taylor ⬜ 58'
4. Ben Davies
5. James Chester
6. Ashley Williams
7. Joe Allen
10. Aaron Ramsey ⬜ 90+4'
16. Joe Ledley
⇄ (20. Jonathan Williams 63')
18. Sam Vokes
⇄ (9. Hal Robson-Kanu 55')
11. Gareth Bale

1

1. Michael McGovern
20. Craig Cathcart
4. Gareth McAuley ⚽ 75'
⇄ (21. Josh Magennis 84')
5. Jonny Evans
18. Aaron Hughes
8. Steve Davis ⬜ 67'
13. Corry Evans
16. Oliver Norwood
⇄ (7. Niall McGinn 79')
14. Stuart Dallas ⬜ 44'
19. Jamie Ward
⇄ (11. Connor Washington 69')
10. Kyle Lafferty

0

Eilyddion / Subs (heb eu defnyddio /unused):

8. Andy King
12. Owain Fôn Williams
13. George Williams
14. David Edwards
15. Ashley Richards
17. David Cotterill
19. James Collins
20. Jonathan Williams
21. Danny Ward
22. David Vaughan

2. Connor McLaughlin
3. Shane Ferguson
6. Chris Baird
9. Will Grigg
12. Roy Carroll
15. Luke McCullough
17. Paddy McNair
22. Lee Hodson
23. Alan Mannus

Torf / Attendance: 44,342

Dyfarnwr / Referee: Martin Atkinson

Paris

RUE GALLOIS

L'ECHARPE du MATCH 15

EUROSTAR™

LIBERTÉ
EGALITÉ
HENNESSEY

Gan fod Paris mor fawr, roedd hi'n anodd iawn cael syniad o'r niferoedd o gefnogwyr oedd yn y ddinas ar gyfer y gêm yn erbyn Gogledd Iwerddon, ond yr eiliad y cyrhaeddon ni orsaf Métro Porte de Saint-Cloud ger y Parc des Princes, roedd yn amlwg fod yr ardal yn ferw gwyllt o wyrdd a choch.

Er gwaethaf ein pryderon o wynebu un arall o dimau Ynysoedd Prydain, roedd cefnogwyr Gogledd Iwerddon yn arbennig … hyd yn oed os oedd eu cân am Will Grigg yn mynd o dan fy nghroen!

In a city the size of Paris, it's always difficult to gauge how many fans have made the trip, but from the second we arrived at the Métro Porte de Saint-Cloud, near the stadium, it became obvious the place was a melting pot of red and green.

The atmosphere in the streets around the Parc des Princes was incredible and, despite the reservations of playing against another 'home' nation, it has to be said the Northern Irish fans were a blast … even taking into account their continuous repetition of *Will Grigg's On Fire!*

"Do you know the one about the two little dogs?" … "Or the one about the horses who fell on the slippery stones?" … "What about the woman from Kidwelly who sold black sweets?"

Dwi ddim yn credu mai dyna oedd gan y gohebydd a'i chriw ffilmio o Tseina dan sylw pan ofynodd i ni os y buaswn yn gallu canu cwpwl o ganeuon Cymraeg.

Roedd ei wyneb yn bictiwr wrth i griw o fois yn eu 40au mewn crysau Cymru ddechrau canu, "Dau gi bach yn mynd i'r coed" a does wybod beth oedd yn mynd trwy feddwl y criw camera pan ddisgynnon ni fel un i'r llawr wrth i'r "gee ceffyl bach" oedd "yn cario ni'n dau" "lithro" ar y "cerrig slic"!

"Please, please. You know song about Gareth Bale?" gofynnodd, yn llawer mwy taer y tro hyn!

Yn fwy od na'r ffaith fod criw teledu o Tseina eisiau i ni ganu caneuon am Gareth Bale oedd fod y gohebydd yn gwisgo crys Cymru gyda "Bale" ar y cefn.

Dwi'n amau yn gryf os oedd gwerthiant crysau Cymru yn uchel iawn yn Tseina cyn Euro 2016 … roedden ni'n sicr ar y llwyfan rhyngwladol erbyn hyn!

"Do you know the one about the two little dogs?" … "Or the one about the horses who fell on the slippery stones?" … "What about the woman from Kidwelly who sold black sweets?"

I don't think Welsh lullabyes are what the Chinese television reporter quite had in mind when she asked us to sing some Welsh songs.

Her face was a picture when a group of Welsh fans in their 40s started prancing around on make believe horses, and falling to the floor when said horses slipped on some slippery stones!

"Please, please. You know song about Gareth Bale?" she asked , this time a little more insistent!

But stranger than the fact that a television crew from China had been asking us to sing songs about Gareth Bale, was the fact that the reporter was actually wearing a Wales shirt with "Bale" on the back.

I doubt there was much call for Wales shirts in China prior to Euro 2016, we were very much in the world spotlight now!

Roedd pawb eisiau bod ym Mharis ar gyfer y gêm fawr yn erbyn Gogledd Iwerddon, ond doedd pob taith i Baris dim yn hawdd fel yr eglurai un criw o Gaerdydd.

'Er mwyn gallu dal awyren o Heathrow ben bore Sadwrn, roedd angen gadael Caerdydd am 1 o'r gloch y bore ar fws National Express, ond ar ôl cyrraedd y maes awyr am 4.00 y bore cawsom siom anferthol o weld y gair "cancelled" mewn llythrennau mawr coch wrth ochr ein hediad i Baris.

Ar ôl sefyll mewn ciw am dros awr heb unrhyw fath o eglurhad, roedd pawb yn gytûn fod angen cynllun arall os am gyrraedd Paris mewn pryd i weld y gêm. Ar ôl sawl galwad ffôn llwyddom i sicrhau lle ar y fferi o Dover i Calais a thacsi i Dover … am £400!

Roedd angen mwy o alwadau ffôn ar y fferi er mwyn trefnu tacsi o borthladd Calais i'r orsaf trennau, tocynnau trên o Calais i Baris ac yn bwysicach na dim, bod ein cyfeillion oedd eisoes ym Mharis yn casglu ein tocynnau ar ein rhan.

Llwyddom i gyrraedd Paris a chwrdd â'n ffrindiau mewn tafarn ar bwys y Stadiwm ychydig llai nag awr cyn i'r gêm ddechrau.'

Rhedeg i Paris yn llythrennol!

WALES

BANGOR ON DEE

CHWILOG

ITS NICE...

...BUT IT'S NOT

Llai na 24 awr ynghynt roedd mwyafrif pleidleiswyr Cymru wedi pleidleisio i adael yr Undeb Ewropeaidd, ond roedden ni'n benderfynol o barhau i fwynhau ein hanturiaethau Ewropeaidd a chawsom gymeradwyaeth trên gyfan ar y Metro'r noson flaenorol wrth ganu, "Nous sommes au Pays de Galles, nous sommes européens" wrth deithio yn ôl i'n gwesty.

O edrych yn ôl, doedd dim gobaith y byddai'r gêm yma'n glasur ac roedd hi bron yn anorfod mai gôl flêr i'w rwyd ei hun fyddai'n gyfrifol am wahanu'r ddau dîm. Roedd 'na ormod yn y fantol iddi fod yn gêm agored.

Roedd y gêm yn un roedd y Cymry'n ffyddiog o allu ei hennill, ond roedd hefyd yn gêm fyddai'n hawdd i Gymru fod wedi colli. Gydag un llygaid ar rownd yr wyth olaf a'r llall ar y daith yn ôl adref, roedd hi'n brynhawn nerfus ar y cae ac oddi ar y cae.

Roedd y dorf yn gymharol ddistaw wrth i anferthedd yr hyn y gallem gyflawni … a'r hyn y gallem ei golli … amlygu ei hun, ond pan rwydodd Gareth McAuley drwy ei rwyd ei hun, roedd 'na ryddhad amlwg ymysg y Cymry.

Roedd angen trefnu parti gan ein bod ni ar y ffordd i Lille ac i rownd yr wyth olaf yn un o brif bencampwriaethau pêl-droed yn y byd am y tro cyntaf ers 1958!

On reflection, this game was never going to be pretty and it was almost fitting that the game was settled by an own goal. There was far too much at stake for it to have been an open flowing game.

It was one of those matches we all thought we should win, but it was also a match we could quite easily have lost. With one eye on the quarter-finals, and the other on the flight home it was a nervous affair both on and off the pitch.

The atmosphere in the stands was slightly subdued, as the enormity of what we could achieve … and what we could miss … started to sink in, but when Gareth McAuley put the ball into his own net the relief amongst the Welsh fans was palpable.

It was time to get the party started because we were on our way to Lille, and our first quarter-final since 1958!

5: LILLE - Stade Pierre-Mauroy 1-7-2016

Roedd canol Lille yn un o goch erbyn canol y bore, ond nid y Cymry oedd wedi llenwi sgwâr y dref. Gan mai 20km ac 20 munud oedd yn gwahanu Lille rhag y ffìn â Gwlad Belg, roedd miloedd ar filoedd o Belgiaid wedi llifo i'r ddinas ar gyfer y gêm ac roedd hi fel gêm gartref i'r Rode Duivels.

Mae'n deg dweud fod y Belgiaid yn hyderus iawn wrth edrych ymlaen at y gêm, wedi'r cwbwl, roedd Gwlad Belg wedi cyrraedd rownd wyth olaf Cwpan y Byd yn Brasil ddwy flynedd ynghynt ac roedd disgwyl iddyn nhw fynd o leiaf un cam yn well yn Euro 2016.

Doedd y ffaith fod Cymru wedi llwyddo i'w curo yng Nghaerdydd a sicrhau gêm gyfartal ym Mrwsel yn ystod y gemau rhagbrofol ddim i'w weld wedi croesi meddwl eu cefnogwyr. Ffliwc oedd hynny, yn ôl ambell un ... wel, doedd neb wedi dweud hynny wrth Hal Robson-Kanu!

Hotels, guesthouses, flights, ferries, the channel tunnel - everything was either full up, sold out or the prices had gone through the roof, as it seemed like the whole of Wales was desperate to get to Lille.

The only problem with that was that the whole of Belgium was already there!

Located in the Flemish region of France and, being only 20 minutes from the Belgian border, Lille was just about as close to a home game for the Belgians as it could be and they had made the Grand Place their own by mid-morning. Full of confidence, some might even suggest arrogance, the Belgian fans were loudly predicting a rout for De Rode Duivels. After all, they had got to the quarter-finals of the World Cup in Brazil, so surely the semi-finals of Euro 2016 was the least of their ambitions for this tournament.

Of course, the fact that Wales had secured a win and a draw against Belgium in the qualifying campaign, was brushed aside by the Belgians as a fluke … well, tell that to Hal Robson-Kanu!

1. Wayne Hennessey
2. Chris Gunter ⬜ 24'
3. Neil Taylor
4. Ben Davies ⬜ 5'
5. James Chester ⬜ 16'
6. Ashley Williams ⚽ 31'
7. Joe Allen
10. Aaron Ramsey ⬜ 75'
⇄ (19. James Collins 90')
16. Joe Ledley
⇄ (8. Andy King 78')
9. Hal Robson-Kanu ⚽ 55'
⇄ (18. Sam Vokes 80' ⚽ 86')
11. Gareth Bale

1. Thibaut Courtois
2. Toby Alderweireld ⬜ 85'
16. Thomas Meunier 75
21. Jordan Lukaku
⇄ (14. Dries Mertens 75')
15. Jason Denayer
6. Axel Witsel
4. Radja Nainggolan ⚽ 13'
10. Eden Hazard
7. Kevin De Bruyne
11. Yannick Carrasco
⇄ (8. Marouane Fellaini 46' ⬜ 59')
9. Romelu Lukaku
⇄ (22. Michy Batshuayi 83')

Eilyddion / Subs (heb eu defnyddio /unused):

12. Owain Fôn Williams
13. George Williams
14. David Edwards
15. Ashley Richards
17. David Cotterill
20. Jonathan Williams
21. Danny Ward
22. David Vaughan
23. Simon Church

23. Laurent Ciman
18. Christian Kabasele
17. Divock Origi
12. Simon Mignolet
13. Jean-Francois Gillet
19. Mousa Dembélé
20. Christian Benteke

Torf / Attendance: 45,936

Dyfarnwr / Referee: Damir Skomina

Lille

HOTEL LONDRES

LILLE

SEPHORA
SEPHORA
SEPHORA
Furet du nord
Furet du nord
LA PLACE

THE SECOND COMING

1958-2016

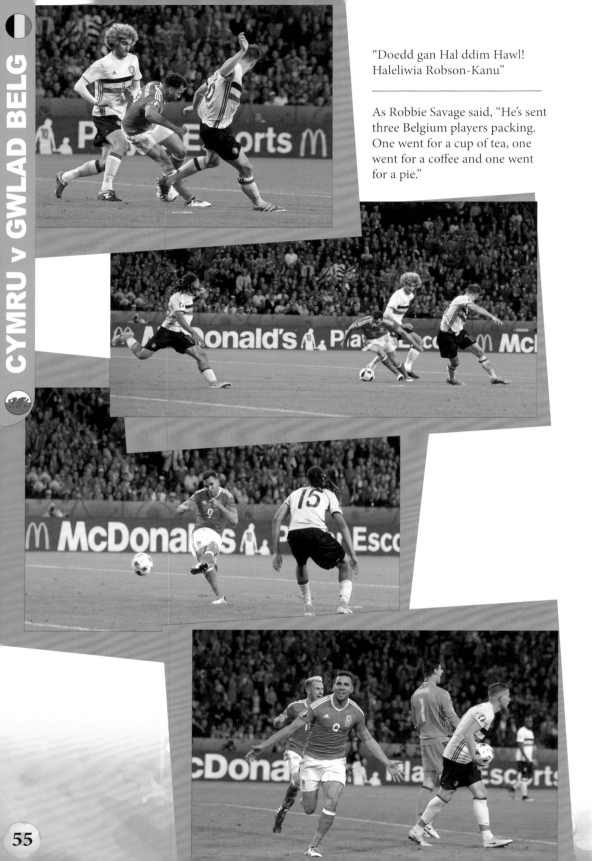

"Doedd gan Hal ddim Hawl! Haleliwia Robson-Kanu"

As Robbie Savage said, "He's sent three Belgium players packing. One went for a cup of tea, one went for a coffee and one went for a pie."

"Ydw i newydd weld Hal Robson-Kanu yn gwneud 'Cruyff Turn' cyn sgorio gôl orau'r bencampwriaeth? Ydw i? Go iawn??"

"Did you just see that? I'm sure I just saw Hal Robson-Kanu pull off the cheekiest of Cruyff Turns before scoring the goal of the tournament. Did I? Really??"

Ar un ochr, llawenydd. Ar yr ochr arall, anghrediniaeth.

One one side, ecstasy. On the other, sheer disbelief.

After Sam Vokes' header, many Welsh fans had tears in their eyes.

O'r eiliad y daeth hi'n amlwg ein
bod ni'n mynd i guro Gwlad Belg a
chyrraedd y rownd gynderfynol roedd
'na orfoledd pur ar y cae ac oddi ar y
cae. Os oes unrhyw un byth yn ceisio
dweud fod pêl-droed rhyngwladol yn
amherthnasol y dyddiau hyn, byddaf
yn eu darbwyllo'n llwyr eu bod yn
anghywir trwy ddangos y cyfres o
luniau yn y lyfr yma iddyn nhw!

From the moment it became apparent we
were going to beat Belgium and reach the
semi-finals there was pure, unadulterated
and unbridled joy, both on and off
the pitch. If anybody tells me that
international football is an irrelevance
in the modern game and that fans
and players don't really care about it, I
will point them in the direction of the
photographs in this book!

Nid dyma'r tro cyntaf i mi grio mewn gêm bêl-droed. Ar ôl colli yn erbyn Rwsia yng ngemau ail gyfle Euro 2004 dwi ddim yn rhy falch i ddweud fod deigryn neu ddwy wedi dianc wrth i mi eistedd yn Stadiwm y Mileniwm oedd yn prysur wagio'i chefnogwyr.

Roedd gôl Vadim Evseev yn ddigon i ddod a gobeithion tîm Mark Hughes o gyrraedd Euro 2004 i ben ac roeddwn i'n siwr mai dyma fyddai'r cyfle gorau, os nad y cyfle olaf, i gyrraedd un o brif bencampwriaethau'r byd pêl-droed yn ystod fy oes i.

Ond nawr, roeddwn i'n paratoi i wylio Cymru mewn rownd cynderfynol ... ia, mae'n anodd credu'r peth ... ROWND GYNDERFYNOL!

Gallwn drafod eiliad o athrylith Hal Robson Kanu hyd syrffed. Gallwn ddadlau pa mor bowld oedd o i hyd yn oed ceisio'r fath driciau yn erbyn amddiffynwyr o safon fel Thomas Meunier a Marouane Fellaini.

Mae hi'n anodd coelio fod yr ymosodwr, oedd newydd wrthod cytundeb gyda Reading yn y Bencampwriaeth, wedi llwyddo i sgorio un o'r goliau gorau erioed gan ddyn yng nghrys coch Cymru.

Ond er hynny, yr eiliad berodd i mi ddechrau crio dagrau o lawenydd oedd yr eiliad y peniodd Sam Vokes groesiad odidog Chris Gunter heibio i Thibaut Courtois. Roedd gôl a grëwyd yn Reading a Burnley wedi sicrhau ein lle yn rownd derfynol un o brif bencampwriaethau'r byd pêl-droed ... a do, fe wylais!

I have cried at a football match before. After the defeat to Russia in the Euro 2004 play-off, I sat in an almost empty Millennium Stadium and shed a tear or two. I had invested so much during the campaign, having been to each and every qualifying match, quietly believing our time had come.

Vadim Evseev's goal was a hammer blow and I genuinely thought our chance to finally reach a major tournament had gone forever.

Now I was preparing to watch Wales in a semi-final ... a SEMI-FINAL!

We could have talked all night about the genius of Hal Robson-Kanu's Cruyff turn, and the utter cheek of his even attempting such a move against defenders of Thomas Meunier and Marouane Fellaini's stature.

We could have all recounted tales of the sheer disbelief, never mind elation, that a striker who had just turned down a contract offer at Championship side, Reading, had just scored one of the best goals of all time, in a Wales shirt.

However, the moment my mates and I broke down with tears of joy was the moment Sam Vokes headed home Chris Gunter's exquisite cross for Wales' third goal. A cross from Reading's full-back, headed home by Burnley's centre-forward was sending us through to the semi-finals of a major tournament for the first time in our history ... and I cried!

6: LYON - Parc Olympique Lyonnais 6-7-2016

Gyda champau tîm Cymru yn sicrhau fod Y Bala wedi newid ei enw i Bale a thra bod Aberdaaron Ramsey wedi sicrhau ei le ar fapiau Cymru am gyfnod byr, roedd 'na gymaint o Gymry wedi cyrraedd Lyon ar gyfer y rownd gynderfynol byddai'r Ffrancwyr wedi gallu ail enwi'r dref yn Llion! Gyda phob hediad i fewn i Lyon yn llawn, roedd cefnogwyr yn heidio i'r ddinas o bob cwr o Ffrainc a thu hwnt ar awyrennau, trenau a cheir gan deithio o Baris, Marseilles, Geneva a gydag ambell un hyd yn oed yn teithio draw o Madrid!

Ar ddechrau'r daith roedd 53 o wledydd wedi brwydro am le yn Ffrainc ac o'r 24 gwlad oedd wedi cyrraedd y rowndiau terfynol, dim ond pedair oedd ar ôl ... ac roedd Cymru'n un ohonyn nhw! Roedden ni wedi cael amser i ddygymod â'r ffaith fod dau o'n chwaraewyr gorau, os nad dau o chwaraewyr gorau'r bencampwriaeth, yn colli'r gêm. Ar ôl derbyn cardiau melyn yn ystod y fuddugoliaeth dros Wlad Belg, byddai'n rhaid i Ben Davies ac Aaron Ramsey fod yn yr un sefyllfa a ni a gorfod gwylio'r gêm o'r eisteddle.

The Welsh side's achievements in France led to the town of Bala changing its name to Bale for the duration of the tournament, and Aberdaaron Ramsey also joined in the fun but with so many Welsh fans arriving in Lyon for the semi-final, the French could have renamed the city Llion! Every flight into Lyon was full and Wales fans were having to produce their own version of Planes, Trains and Automobiles as cars, camper vans and trains were carrying the Red Wall to Lyon travelling from as far as wide as Paris, Marseilles, Geneva and even Madrid!

At the beginning of the campaign in 2014, 53 countries were battling for a place in the finals in France and, of the 24 countries that qualified for the tournament, only four remained … and Wales was one of them! We had time to get used to the fact that two of our best players, if not two of the best players in the whole tournament, would miss the game. Having picked up yellow cards in the victory over Belgium, Ben Davies and Aaron Ramsey would be in the same situation as us, in having to watch the game from the stands.

2 — 0

Portugal	Wales
1. Rui Patricio	1. Wayne Hennessey
2. Bruno Alves ⬜ 71'	2. Chris Gunter
4. José Fonte	3. Neil Taylor
21. Cédric Soares ⬜	19. James Collins
5. Raphaël Guerreiro ⬜	⇄ (20. Jonathan Williams 66')
17. Nani ⚽ 53'	5. James Chester ⬜ 62'
⇄ (20. Ricardo Quaresma 86')	6. Ashley Williams
23. Adrien Silva	7. Joe Allen ⬜ 8'
⇄ (8. João Moutinho 79')	8. Andy King
13. Danilo Pereira	16. Joe Ledley
10. João Mário	⇄ (18. Sam Vokes 58')
16. Renato Sanches	9. Hal Robson-Kanu
⇄ (15. Andr´ Gomes 74')	⇄ (23. Simon Church 63')
9. Cristiano Ronaldo ⚽ 50' ⬜ 72'	11. Gareth Bale ⬜ 88'

Eilyddion / Subs (heb eu defnyddio /unused):

22. Eduardo	12. Owain Fôn Williams
18. Rafa	13. George Williams
9. Éder	14. David Edwards
12. Anthony Lopes	15. Ashley Richards
19. Eliseu	17. David Cotterill
11. Vieirinha	21. Danny Ward
6. Ricardo Carvalho	22. David Vaughan

Torf / Attendance: 55,679   Dyfarnwr / Referee: Jonas Eriksson

Lyon

CORON GWLAD EI MAMIAITH

GLANTAF BOYZ

"Nous sommes pas Anglais, nous somme Gallois!" Am y tro cyntaf mewn bron i 60 mlynedd roedd Cymru wedi llwyddo i gyrraedd un o brif bencampwriaethau'r byd pêl-droed er mwyn atgoffa'r byd ein bod ni'n Genedl Bêl-droed Annibynnol.

Roedd yr holl sôn am Team GB wedi mynd o dan groen cefnogwyr Cymru yn y blynyddoedd diweddar gyda nifer sylweddol yn ei weld fel bygythiad i fodolaeth ein tîm pêl-droed cenedlaethol. Mae campau'r tîm yn Euro 2016 yn golygu fod y ddraig goch, y chwaraewyr a hyd yn oed y cefnogwyr wedi eu gweld gan gynulleidfaoedd teledu anferthol led led y byd ac wedi gosod Cymru ar y map.

Does dim angen egluro ble mae Cymru bellach … "Ah! Gareth Bale!" ydi'r ateb mae pob un yn ei roi pan mae dyn yn dweud, "I'm from Wales".

Roedd yr hyn gyflawnwyd yn ystod yr haf tu hwnt i unrhyw ddisgwyliad. Roedd cyfraniad Gareth Bale yn amhrisiadwy, cafodd Aaron Ramsey a Joe Allen eu cynnwys yn nhîm y twrnament a chafodd cefnogwyr Cymru wobr gan Uefa am eu cyfraniad arbennig i'r bencampwriaeth.

Wrth i ni ymuno â'r ciw anferthol i ddal tram yn ôl i ganol dinas Lyon, roedd y siom yn amlwg. Roedd pawb yn ymwybodol ein bod wedi dod mor agos at gyrraedd y rownd derfynol, ond y bore canlynol wrth i ni baratoi i hedfan adref am y tro olaf, mae'n deg dweud ein bod yn llawn balchder ar ôl mwynhau pedair wythnos gorau ein bywydau.

"Nous sommes pas Anglais, nous somme Gallois!" For the first time in almost 60 years Wales were in a major tournament and reminding the footballing world that Wales is an 'Independent Football Nation'.

The calls for a Team GB have raised the hackles of the Welsh supporters in recent years, with many seeing it as a threat to the very existence of a Welsh national side. The team's achievements at Euro 2016 meant Wales, our distinctive Red Dragon flag, the players and even the fans were seen by global TV audiences measured in 100s of millions and put Wales firmly on the map.

No longer would we need to explain to anyone where Wales was … "Ah! Gareth Bale!" is the now answer everybody gives when you say "I'm from Wales".

What we achieved in France over the summer of 2016 was beyond our wildest dreams. Gareth Bale's contribution was immense, Aaron Ramsey and Joe Allen were named in the team of the tournament and Wales fans were rewarded by Uefa for our outstanding contribution.

As we joined the long queue to get the tram back into Lyon city centre, there was an air of disappointment as to what might have been but the following morning, as dawn broke and we prepared to fly home for the last time, it's fair to say we were bursting with pride having enjoyed the best four weeks of our lives.

7: CENEDL BÊL-DROED ANNIBYNNOL
INDEPENDENT FOOTBALL NATION

Efallai ein bod ni fel cefnogwyr Cymreig yn cymryd ein statws fel cenedl bêl-droed annibynnol yn ganiataol ac yn ddiarwybod i nifer fawr o'r Cymry yn Ffrainc roedd cefnogwyr pêl-droed o sawl cenedl fechan o fewn Ffrainc am weld Cymru yn llwyddo ac yn ein cefnogi ni oherwydd ein sefyllfa arbennig o fewn y byd pêl-droed. Dyma nifer o gyfarchion i bobl Cymru gan ein cyfeillion yn y gwledydd bychain hynny.

The Welsh team received a warm Celtic welcome in Dinard and across Brittany, but many Welsh fans may not have been aware that our sporting success on the field was keenly followed by the peoples living in several other small nations within France, whose teams are denied the independent national football status that we enjoy. The Basques, the Catalans and the Flemish cheered us on as did many in Tolose (Toulouse), the capital of Occitània. In fact many Bretons travelled to Lyon to support us in the semi-final. Here are their greetings to the people of Wales.

JossGwened @JGwened · Jul 3
Brittany is behind the Welsh! @FAWales #bzh #Bretagne
Equipe de Bretagne, Welsh Football News, Wales and 3 others

Wales ✓
@FAWales

Breizhiz ker, biken ne zisoñjimp ho tegemer c'hwek. Ur blijadur eo bet bezañ en ho touez amañ e Dinarzh. Trugarez!.

RETWEETS 138   LIKES 230

11:50 AM - 8 Jul 2016

2016ko udan Galeseko futbol selekzioa Eurokopan sailkatu eta txapelketan aurrera egiten ari zenean, ordurarte gurean gutxi ezagutzen zen herria hau kirol albistegietako lerroburuak bete zituen eta gutako asko, inbidia sano batekin, Cymru zale sutsuak bilakatu ginen. Hor genuen, tabernetako pantailetan Euskal Herriaren tamainako estatu-gabeko herria, talde handien artean lehian. Zoritxarrez, Estatu Frantsesak eta Espainiarrak eragotzi egiten diote Euskal Herriari selekzio ofiziala eratzea. Baina etorkizun hurbilean aspaldiko nahia beteko da eta Euskal Herria - Cymru partidaz disfrutatuko dugu. Emaitza gutxienekoa izango da.

In the summer of 2016 when the Wales national football team headed for Euro 2016, it made the headlines here. During the championship, in the bars of the Basque Country, we became fans of Cymru with a healthy envy, watching another stateless nation competing at the highest level of sport. Unfortunately, the Spanish and French governments prevent the Basque team from competing in international competitions, but we look forward to one day playing in the Euros and World Cup as a Basque national team, and to play Cymru. Win, lose or draw, what a great day that will be!

Vlaanderen

In Vlaanderen leefde een beetje een dubbel gevoel tijden de voetbal kampioenschappen Euro 2016. Men wou trots zijn op het Belgische team maar ze keken op naar Wales dat zijn eigen team heeft met supports die een voorbeeld waren voor vele naties. Kleine (naties) zijn trots en mooi.

In Flanders there was this double feeling during the Euro 2016 football championships. People wanted to be proud for the Belgian team but they looked up to Wales who had a team of their own doing so well with supporters exemplary to all nations. Small (nations) but proud and beautiful.

C'hoant o deus ar vretoned da drukarekaat ar Gembreiz evit dibab o bro e-pad ur miz, hag ar brezhoneg evel yezh kehentiñ. Trugarez d'ar vretoned bezañ gouzañvet ar Gembreiz.

Breizh

Bon astre de fotbòl galesa ! Aquesta copa d'Euròpa foguèt l'escasença per nautres, tolosencs, de veire a quin punt nòstras dos culturas ; vautres galeses e nautres occitans an en comun. Tot coma vautres aimam far fèsta, aimam cantar e tot coma vos siam una cultura sens estat. Per contra, emai s'una equipa occitana de fotbòl existís, a pas encara la reconeisséncia ni la popularitat de la vòstra.

Greetings to Welsh football fans. The Euros was a great occasion to see how our two cultures, Welsh and Occitan, have so much in common. Like you, we love to party, sing and, as nations without a state, the Occitan people sensed an affinity with you and supported your great team. When we finally have an Occitan national team, we'd be happy to be as good as you! We look forward to playing you one day soon.

La gent de Catalunya estima el futbol i li agradaria tenir una selecció nacional com té País de Gal·les. Com milers de catalans, vaig donar suport a Gal·les a l'EURO2016 i somio amb el fet que Catalunya, algún dia, competirà a nivell mundial. Espanya fa qualsevol cosa per aturar aquest somni, així que Gal·les, mai deixeu de tenir equip nacional!!!

The Catalan people dream of having a national football status like Wales. Many of us supported Wales in the Euro2016 competition because we could identify with another small nation, like us with its own language and history. Wales are very lucky to have a team - Spain & France do everything to stop a Catalan team. Don't take it for granted, keep your independence!!

Occitània

Euskal Herrian

Catalunya

Our games in Toulouse and Lyon were featured by Ron and Christoph, two journalists from the German media company, FREUND 11, and their broadcasts can be found online. These are their memories of Wales at Euro 2016:

It was June the 20th when we arrived in Toulouse on our Euro journey through the southern half of France. We had already experienced the high-class atmosphere and absolute madness of supporters during the first week of the tournament. We had learnt to recognise and moreover kept listening for hours to the brilliant beer-tinged voices from Iceland in Saint-Etienne, from Ireland in Bordeaux or from Northern Ireland in Lyon. But the Toulouse days took it to a different level.

The supporters of Wales were wandering around with gleaming eyes like children on their birthday, for it was Wales' first participation in a major tournament since 1958. The entire city of Toulouse was crowded with people in red shirts and you couldn't overlook the green-yellow-red hats everywhere. When we first saw those hats it looked as if there was a weird fishermen's convention in town! There were all generations of supporters present, the elder ones told us they had desperately been waiting for this moment for decades. The younger ones just joined in the euphoria in their own way. 'Don't take me home, I just don't wanna go to school, I wanna stay here and drink all your Sprite', sang one boy in his own version of THE summer's classic chant.

But it was at the entrance of the small and charming stadium when we had goosebumps for the first time this summer. The Welsh sector started singing a song with words we didn't really understand so we asked around for an explanation. Later we found out that it was named Calon Lân. It was more than a chant, it was a hymn ringing around Toulouse, unexpected and inimitable, this massive choir of 14,000 Welshmen silenced the entire stadium. The Welsh ascendancy in the stands was then taken onto the pitch. The sun set and the Welsh attacks started, with Bale crushing through the Russian defence and Allen playing well-timed passes with the accuracy of an architect. In the end, Wales won 3-0 but it could have been 5-0. All hell broke loose in the stadium, chants overlapping everywhere, a wimmelpicture of pure joy.

Before Toulouse, we knew little about Welsh football, but we learned quickly. About Allen, Williams, Gunter - and about Coleman.

We are happy that we were there when Wales, the team and the fans, had such a fantastic time. I only have one souvenir of the Euros in my office which reminds me of this special days in Toulouse. It is the green-yellow-red 'fishermen' hat.

Ron Ulrich & Christoph Küppers, Berlin

Conception graphique et mise en pages : Delphine Delastre
© Flammarion, Paris, 2013
N° d'édition : L.01EPMN000656.N001
ISBN : 978-2-0812-9247-5
Dépôt légal : mai 2013

SYSTÈME D

THIERRY MARX

Photographies
de Mathilde de L'Ecotais

Flammarion

SOMMAIRE

La cuisine est un concept extraordinaire.
Non seulement pour agrémenter la vie, mais aussi par moments
pour la reconstruire.
Les valeurs qu'elle véhicule sont universelles.
Je suis très heureux de partager avec les stagiaires de la cuisine
du Centre professionnel de Poissy ces moments de transmission
culinaire.
Système D est créé pour les passionnés et amateurs de cuisine.
Ce livre est un outil qui vous aidera pour cuisiner au quotidien
avec des recettes simples et toutes réalisées par les stagiaires CAP
et Bac professionnel à Poissy, encadrés par l'équipe pédagogique.

Amusez-vous et surtout, régalez-vous !

Un livre exemplaire

De Ménilmontant qui l'a vu naître, à la rue Saint-Honoré
où il est chef exécutif du Mandarin Oriental, il n'y a que quelques
kilomètres. Thierry Marx a mis cinquante ans pour les parcourir
avec de nombreux détours personnels et professionnels mais
avec un fil conducteur : la cuisine. Toutes les cuisines.
Celle du Japon ou des Amériques, celle d'Escoffier ou de la rue,
celle de l'armée ou des palaces, pour ne citer que quelques jalons
d'un parcours hors du commun.

Il en connait toutes les techniques et tous les pièges, ses histoires
et ses hommes, ses plaisirs et ses souffrances. Il en a surtout appris
les valeurs de partage et de transmission et découvert son pouvoir
d'intégration ou de reconstruction sociale pour ceux qui sont
restés sur le bord du chemin, ceux « qui sont partis en vrille »
comme il aime à dire. C'est pour eux, que malgré ses multiples
activités, il a toujours consacré du temps à l'animation ou
à la formation en milieu carcéral et parmi les jeunes en difficulté.

Ce *Système D* est le fruit d'une de ces expériences, menée celle-ci à la prison Centrale de Poissy, avec des détenus stagiaires en CAP et bac professionnel cuisine. En ces lieux où l'on purge de longues peines, le livre rouge ressemble plus au code pénal qu'au guide Michelin et la nourriture est un souci quotidien tant le rata est médiocre. Pour améliorer l'ordinaire, on fait preuve derrière les murs d'une ingéniosité et d'une créativité incroyables. Construire un four avec l'emballage tapissé d'aluminium des briques de lait pour faire cuire son pain sur la plaque chauffante disponible en cellule n'est pas à la portée du premier venu. Monter les blancs en neige dans une bouteille en plastique non plus...

Les recettes de *Système D* sont la rencontre de la débrouillardise et de la motivation avec la connaissance et la formation transmises par le chef. Elles sont à la portée de tous, avec trois fois rien, si ce n'est l'envie de cuisiner. Leur genèse et les conditions de leur création donnent au fondant de potiron, au mignon de veau ou à la tarte au melon, un goût particulier. Celui de l'exemple, avec un air de liberté.

JP GENE

LÉGUMES

ARTICHAUT, ŒUF DE CAILLE

Pour 5 personnes

15 artichauts camus
1 l d'eau
4 cuillerées à café de jus de citron
1 pincée de graines de coriandre
4 cuillerées à café d'huile d'olive
1 gousse d'ail
1 échalote
1 clou de girofle
1 céleri branche
Quelques feuilles de thym et de laurier
9 œufs de caille
Fleur de sel, poivre du moulin

Préparer les artichauts et les conserver dans de l'eau fraîche avec un jus de citron pour éviter l'oxydation. Faire torréfier les graines de coriandre dans une poêle. Ajouter l'huile et le reste de la garniture. Faire suer, ajouter les artichauts bien égouttés puis déglacer avec l'eau. Porter à ébullition puis les cuire dans le bouillon à petit frémissement pendant 15 minutes. Les laisser refroidir dans leur le jus de cuisson. Cuire les œufs de caille 4 minutes dans de l'eau bouillante légèrement salée puis les passer sous l'eau froide avant de les écaler. Ciseler très finement la ciboulette et réaliser des bâtons. Pour le dressage, bien égoutter les fonds d'artichaut, assaisonner de fleur de sel, d'un tour de poivre du moulin et d'un filet d'huile d'olive. Déposer 3 œufs nature sur 1 des 3 fonds, déposer 3 œufs décorés de bâton de ciboulette sur le 2e fond. Pour le dernier, rouler 3 œufs dans la ciboulette pour réaliser une croûte. Il est important que les œufs ne soient pas trop humides pour que la ciboulette tienne correctement.

SYSTÈME D

Citronner les fonds d'artichauts pour éviter qu'ils ne noircissent. Pour n'utiliser que quelques gouttes de citron, percer un trou dans celui-ci à l'aide d'une grosse épingle ou d'une aiguille à tricoter.

CANNELLONIS AUX LÉGUMES, SAUCE PARMESAN

Pour 4 personnes

25 cl d'huile d'olive
100 g d'oignon
200 g de champignons de Paris
200 g d'aubergine
200 g de courgette
600 g de tomate

1 l d'eau
1 bouillon cube de légumes
16 tubes de cannellonis
40 cl de crème liquide
120 g de parmesan
Sel, poivre

Dans une poêle, faire chauffer l'huile.
Ajouter les oignons, les faire suer pendant 2 minutes.
Ensuite, ajouter les champignons, brasser et laisser cuire 3 à 4 minutes.
Ajouter les aubergines, mélanger, et laisser cuire les courgettes
et les tomates ; bien mélanger. Incorporer l'eau et le bouillon cube.
Assaisonner et laisser mijoter pendant 10 minutes à couvert et le reste
du temps à découvert en brassant délicatement.
Faire bouillir une casserole d'eau avec de l'huile d'olive et du sel
et mettre à cuire les tubes de cannellonis pendant 5 minutes.
Ensuite, les retirer et les mettre sur un linge de cuisine propre.
Mettre la farce de légumes dans les tubes.et les mettre dans un plat
pouvant aller au four.

Pour faire la sauce, dans une casserole, mettre la crème et 50 g de parmesan,
puis porter à ébullition. Verser sur les cannellonis, saupoudrer de parmesan
et mettre au four à 200 °C (th. 6/7). Une fois bien gratinée, avec une jolie
couleur, servir.

SYSTÈME D

Surgeler les tubes de cannellonis cuits pour faciliter
le remplissage.

CÉLERI RÉMOULADE

Pour 4 personnes

1 céleri boule
4 pommes Granny Smith
125 g de mayonnaise
Sel, poivre blanc

Éplucher le céleri puis le râper.
Éplucher les pommes vertes et les tailler en julienne.
Dans un saladier, mélanger le céleri et les pommes, ajouter la mayonnaise.
Assaisonner.

SYSTÈME D

Pour un plat moins calorique, couper la mayonnaise
avec 40% de crème fraîche allégée.

ÇOURGETTE À L'INDIENNE

Pour 4 personnes

200 g de courgettes
50 g de tomates mûres
100 g d'oignon
1 tête d'ail
1 bâton de cannelle
2 clous de girofle
1 pincée de cumin en graines
1/2 cuillerée à café de gingembre moulu
1 pincée de piment moulu
25 cl d'huile d'olive
1 botte de persil plat
1 botte de coriandre
Sel

Couper les courgettes, les tomates et les oignons en petits dés.
Hacher finement l'ail puis le mettre avec les légumes dans une casserole.
Ajouter le bâton de cannelle, les clous de girofle, le cumin, le gingembre et le piment.
Arroser d'huile d'olive. Faire cuire à feu doux pendant 20 minutes.
À mi-cuisson, ajouter les herbes et mélanger.
Saler en fin de cuisson, servir aussitôt.

SYSTÈME D

Si vous n'avez pas de courgette, vous pouvez utiliser des aubergines.

FEUILLETÉ DE LÉGUMES

Pour 10 personnes

Légumes
1 carotte
Quelques sommités
de chou-fleur, violet, jaune
10 radis rose
10 radis glaçon
5 choux pak choï
1 petite betterave chiogga

Sauce romesco
1 kg de tomates
20 cl d'huile d'olive
2 têtes d'ail
80 g d'amandes entières
80 g de noisettes
2 cuillerées à soupe de vinaigre de Xérès
Fleur de sel

2 pâtes feuilletées rondes

Cuire les légumes dans de l'eau bouillante salée,
les couper harmonieusement ; faire des copeaux de chiogga.

Enfourner à 170 °C (th. 5/6) dans du papier d'aluminium les tomates,
avec un peu d'huile d'olive et fleur de sel, puis retirer la peau et les pépins
et égoutter.
Enfourner les têtes d'ail entières dans du papier d'aluminium,
une fois refroidit récupérer la chair des gousses d'ail.
Mettre les amandes et les noisettes sur la plaque du four, 160 °C (th. 4/5)
et les faire griller.
Mixer finement, les tomates, la pulpe d'ail, les amandes et noisettes
jusqu'à l'obtention d'une purée fine. Ajouter le vinaigre de Xérès
et l'huile d'olive doucement, vérifier l'assaisonnement et réserver.

Cuire la pâte feuilletée au four 10 minutes à 180 °C (th. 6) entre 2 plaques.
Découper à l'emporte-pièce rond.
Dresser les légumes sur la pâte et assaisonner de sauce romesco.

FLAN DE COURGETTES

Pour 8 personnes

3 courgettes
20 g de beurre
25 cl de crème liquide
3 œufs entiers
20 g de beurre clarifié
Sel, poivre

Sur un plan de travail, couper les courgettes en cubes de 1 cm environ.
Dans une sauteuse, avec du beurre, rissoler les courgettes 10 à 12 minutes.
Ecraser grossièrement les morceaux de courgettes et réserver au frais.
Préchauffer le four à 150 °C (th. 5).
Dans un saladier, verser la crème ainsi que les 3 œufs. Saler et poivrer.
Battre le tout au fouet, ajouter ensuite les courgettes
et mélanger délicatement.
Mouler les ramequins à l'aide d'un pinceau en utilisant uniquement le beurre
clarifié et verser au 3/4 l'appareil dans chaque ramequin, les mettre
à cuire au bain-marie, sur un grand plat remplit d'eau à mi-hauteur,
dans le four à 150 °C (th. 5) durant 35 minutes : une coloration « rousse »
témoigne d'une bonne cuisson.
Démouler les ramequins à l'aide d'un couteau.

SYSTÈME D

Pour obtenir des flans plus verts,
prendre 1 des 3 courgettes cuites et la mixer.
Ajouter le velouté dans l'appareil.

FLAN DE POTIRON

Pour 5 personnes

500 g de potiron
1 clémentine
3 œufs entiers
20 cl de crème
1 pincée de noix muscade
Sel, poivre

Préchauffer le four à 150 °C (th. 5).
Laver et éplucher les potirons et les tailler en gros morceaux.
Prélever le zeste de la clémentine.
Mixer les œufs, la crème, le sel, le poivre, la pincée de muscade et le zeste
de clémentine. Verser dans un saladier.
Mixer les potirons et les vider de leur eau. Mélanger le tout dans le saladier
jusqu'à ce que l'ensemble soit homogène.
Goûter et rectifier l'assaisonnement.
Beurrer au pinceau les ramequins, les garnir de la préparation au 2/3
et les déposer dans un grand récipient (type Pyrex) contenant
de l'eau montant à mi-hauteur des ramequins.
Enfourner le tout à 150 °C (th. 5) pendant 40 minutes.

SYSTÈME D

Il est préférable d'avoir le potiron lisse plutôt qu'en pulpe.
Cela facilitera le levage lors de la cuisson.
On peut aussi ajouter 1 ou 2 blancs d'œufs à la crème.

FONDANT DE POTIRON

Pour 5 personnes

500 g de potiron
8 cl de crème fleurette
4 blancs d'œufs
200 g de purée de marron
Noix muscade
Sel, poivre

Laver, éplucher et tailler les potirons en morceaux de 3 à 4 cm
avant de les cuire à la vapeur.
En fin de cuisson, mixer et passer dans une passoire pour enlever l'eau.
Crémer légèrement.
Monter les blancs en neige et incorporer délicatement dans la purée
de potiron tiède.
Ajouter de la noix muscade, assaisonner.
Dans des moules chemisés de beurre et de farine remplir au 2/3 d'1 couche
de potiron, d'1 couche de purée de marron et d'1 dernière couche de potiron.
Finir la cuisson au bain-marie dans un four à 150 °C (th. 5), pour que les œufs
cuisent et que l'ensemble se lève.

SYSTÈME D

Cette recette peut-être revisitée comme dessert, en substituant
la purée de marron par de la crème de marron et en retirant
la muscade. Le fait de sucrer les blancs lors du montage
donnera un plus à cette tendance dessert.

FRISON DE CONCOMBRES

Pour 4 personnes

2 concombres
3 cuillerées à soupe de crème fraîche
100 g de mayonnaise
1 botte de ciboulette
Sel, poivre

Éplucher et couper les concombres en 2 tronçons.
Tailler chaque tronçon en fines lamelles sur la longueur
et tailler ensuite chaque lamelle en spaghettis sur la longueur.
Mélanger ensemble la crème, la mayonnaise et la ciboulette ciselée.
Mêler le frison de concombre avec la sauce.
Servir bien froid.

Pour plus de fraîcheur, ajouter de la menthe ciselée.

SYSTÈME D

Pour faire dégorger plus rapidement le concombre, trempez-le pelé mais entier pendant quelques minutes dans du lait. Comme récipient, vous pouvez utiliser une bouteille en plastique dont on a coupé le goulot.

GRATIN DAUPHINOIS

Pour 5 personnes

1 kg de pommes de terre
40 cl de lait entier
40 cl de crème liquide
1 pincée de noix muscade
2 gousses d'ail
40 g de beurre
Sel fin, poivre blanc en poudre

Éplucher et laver les pommes de terre puis les émincer en lamelles de 2 mm d'épaisseurs.
Porter le mélange de lait et crème à ébullition, assaisonner avec le sel,
le poivre et la muscade.
Choisir un plat à gratin de taille adaptée, le frotter avec une gousse d'ail,
puis le beurrer.
Assaisonner les pommes de terre émincées, les ranger joliment dans le moule.
Après la première couche, poser une gousse d'ail en chemise (avec la peau)
sur le bord pour l'ôter facilement après cuisson, continuer les rosaces
jusqu'en haut du plat et recouvrir du mélange lait/crème.
Enfourner à 150 °C (th. 5) pendant 30 à 40 minutes pour les petits plats,
et pour les gros plats jusqu'à 1 h 30, afin que la cuisson soit douce.

*Verser le mélange lait /crème chaud permet d'éviter l'oxydation des pommes
de terre. Pour ne pas perdre leur amidon, les pommes de terre détaillées
ne peuvent être stockées dans l'eau (sans leur amidon, le gratin resterait
liquide), donc les préparer uniquement quand les gratins sont prêts
à être montés et cuits.*

SYSTÈME D

Des rondelles trop fines se transformeraient en purée
lors de la cuisson.

POMMES ANNA

Pour 4 personnes
———————————

150 g de beurre doux
800 g de pommes de terre
Sel, poivre blanc

Préchauffer le four à 180 °C (th. 6)
Dans une casserole, faire fondre le beurre. Une fois fondu,
le laisser décanter puis le clarifier, (retirer la mousse qui se forme
sur le dessus).
Éplucher les pommes de terre et leur donner une forme cylindrique
avant de les tailler en fines rondelles. Surtout, ne pas rincer les pommes
de terre car il est important qu'elles conservent leur amidon.
Prendre une plaque à pâtisserie recouverte d'un papier sulfurisé,
y dessiner 4 cercles avec un emporte-pièce (à défaut, avec un bol).
Tremper chaque rondelle de pommes de terre dans le beurre clarifié chaud,
puis les disposer en rosace sur les cercles. Faire un tour dans un sens
et le suivant dans l'autre sens. Entre chaque étage, saupoudrer de sel
et de poivre.
Pour finir, badigeonner de beurre avec un pinceau la surface des pommes
de terre Anna et assaisonner.
Cuire les pommes de terre pendant 30 à 40 minutes à 180 °C (th. 6).

POMMES BOULANGÈRES

Pour 10 personnes

10 pommes de terre
200 g d'oignons
1 cuillerée à soupe d'huile d'olive
1 pincée de sucre
10 échalotes
1 kg de gros sel
Sel, poivre

Couper les pommes de terre en fines lamelles à l'aide d'une mandoline.
Dans une poêle, faire suer les oignons dans de l'huile d'olive.
Ajouter une pincée de sucre, puis faire caraméliser à feu doux.
Dans un cadre rectangulaire, monter 2 couches de pommes de terre,
1 couche d'oignons, 2 couches de pommes de terre, 1 couche d'oignons
jusqu'à obtenir 2 cm de hauteur.
Faire cuire 1 heure au four à 120 °C (th. 4).
Découper en carrés de 3 x 3 cm.

Échalotes confites pour le décor
Laver les échalotes, conserver la peau, les cuire au four sur un lit de gros sel
à 160 °C (th. 5/6) jusqu'à une texture confite et moelleuse.

SYSTÈME D

Pour faire des pommes de terre réussies :
les laver à grande eau et bien les sécher sur un chiffon
pour enlever l'amidon avant de les cuisiner.

PURÉE D'AIL

Pour 4 personnes

---

1 tête d'ail de bonne qualité
3 cuillerées à soupe d'huile d'olive
Tranches de pain grillé
Sel

Détacher toutes les gousses d'ail de la tête et les frotter entre vos mains
puis détacher les premières peaux mais sans les épluchez.
Faire bouillir 1/2 l d'eau légèrement salée, y mettre les gousses d'ail
et laisser cuire à petit bouillon 20 minutes environ (le temps de cuisson varie
en fonction de la qualité et de la taille des gousses).
Lorsque les gousses sont tendres, les égoutter et les laisser refroidir.
Ensuite les éplucher (c'est un jeu d'enfant !), en prenant soin d'enlever
la partie un peu dure et marron par laquelle la gousse était attachée
à sa tête.
Écraser l'ail dans un bol à l'aide d'une fourchette et ajouter l'huile
et une pincée de sel. Remuer jusqu'à obtention d'une pâte lisse et homogène.
Servir tiède ou froid à l'apéritif sur des tranches de pain grillé.

SYSTÈME D

Si votre purée est trop liquide, vous pouvez la lier
avec un peu de fécule de pomme de terre.
« Manger de l'ail, ça rajeunit l'organisme et ça éloigne
les importuns ! » Alexandre Vialatte.

PURÉE DE CHAMPIGNONS ET TUILE AU PARMESAN

Pour 4 personnes

8 tranches fines de lard
500 g de champignons de Paris
30 g de beurre
200 g de parmesan râpé
25 cl de crème épaisse
Sel, poivre

Préchauffer le four à 120 °C (th. 4).
Couper les tranches de lard en deux si elles sont trop grandes.
Les disposer sur une plaque du four tapissée de papier sulfurisé.
Enfourner 20 minutes.
Laver les champignons sous un filet d'eau.
Dans une poêle, faire fondre le beurre et y mettre les champignons coupés
en lamelles. Les faire cuire pendant 10 minutes avec du sel et du poivre.
Pendant ce temps, dans une poêle anti-adhésive, disposer de petits tas
de parmesan et les laisser fondre à feu doux et dorer légèrement jusqu'à
ce qu'ils forment des tuiles. A ce moment, les retirer de la poêle et leur donner
une forme arrondie en les posant sur une bouteille ou un rouleau à pâtisserie.
Mixer les champignons jusqu'à obtention d'une purée. Ajouter la crème.
Repartir la préparation dans une verrine (ou tout autre contenant).
Réserver au froid.
Au moment de servir, accompagner la verrine d'une tuile de parmesan
et d'une tranche de lard.

SYSTÈME D

Si vous n'avez pas de four, faites cuire tranches de lard
sur une poêle bien chaude sans matière grasse.

SALADE DE NAVETS MARINÉS, ŒUFS POCHÉS MENTHE POIVRÉE

Voici une salade estivale d'une simplicité mais d'une saveur exquise,
et d'une texture surprenante, qui fera beaucoup d'émules.
Des navets crus taillés en fines rondelles, marinés au poivron cuit et à l'ail,
zestés généreusement des citron, légèrement assaisonnés et pour la touche
finale, un filet d'huile d'olive.

Pour 8 personnes

1 kg de navets
1 tête d'ail
1 poivron rouge
1 citron
10 cl d'huile d'olive
3 œufs
1/4 d'une botte de menthe poivrée
Sel, poivre

Laver les navets et tailler les extrémités, ensuite les émincer finement
ou les passer à la mandoline.
Écraser l'ail. Laver, vider, tailler les poivrons rouges en lamelles
de 1 cm de large, les cuire à la poêle à couvert avec un peu d'huile d'olive
et les hacher. Sur une assiette, disposer les rondelles de navets en trois
rangées, en les chevauchant légèrement. Garnir le dessus d'ail et de poivron,
citronner de jus. Assaisonner. Verser un filet d'huile d'olive assez
généreusement sur les navets.
Servir de préférence frais.

Cuire les œufs 5 minutes avec leur coquille, et hacher finement la menthe
poivrée.
Dans un ramequin, disposer les œufs mollets écalés.

Entailler les œufs pour écoulement du jaune, saupoudrer de menthe poivrée hachée et assaisonner légèrement.
Servir avec la salade de navets marinés.

Pour faciliter la réalisation de vos œufs pochés, frottez la casserole avec du vinaigre blanc et ajoutez-en un peu dans l'eau de cuisson.

SOUFFLÉ AU POTIRON

Pour 5 personnes

Soufflé
60 g de potiron
3 œufs
50 g de crème fraîche
50 g de parmesan
30 g de beurre
20 g de farine
1 pincée de noix muscade
1 pincée d'aneth
Sel, poivre

Farce butternut
1 kg de courges butternut
100 g de pousse épinard

Peler le potiron et retirer les graines.
Bien nettoyer les graines à l'eau claire, les faire sécher puis les torréfier. Saler.
Couper la chair en dés bien réguliers. Placer les morceaux de potiron
dans une casserole avec le lait. Cuire 15 minutes.
Chemiser 5 petits moules à soufflé avec du beurre et de la farine.
Égoutter le potiron et le réduire en purée en le mixant.
Incorporer à cette purée les jaunes d'œufs, la crème et le fromage râpé.
Assaisonner de sel, poivre et noix muscade.
Monter les blancs d'œuf en neige bien ferme et les incorporer délicatement
à la purée de potiron à l'aide d'une grande spatule. Répartir cette préparation
dans les 5 moules à soufflés précédemment préparés.
Enfourner à four chaud, 240 °C (th. 8) pendant 5 minutes,
baisser la température à 180 °C (th. 6) et poursuivre la cuisson 10 minutes

Faire 25 lanières de courge dans la partie haute de la courge
(la partie pleine) à la mandoline. Les blanchir 10 secondes.
Disposer 5 bandes légèrement superposées sur du film alimentaire.

Couper le butternut en très petits morceaux, les faire étuver à couvert
5 minutes dans une sauteuse avec un filet d'huile d'olive et une pointe de sel.
Avec le reste de la courge, couper régulièrement et réaliser une purée
comme pour l'appareil à soufflé.
Dans un saladier, débarrasser la brunoise (les morceaux de butternut) encore
chaude, ajouter les pousses d'épinard émincées et mélanger à la brunoise.
La chaleur de la brunoise va cuire les épinards. Ajouter la pulpe,
bien mélanger et débarrasser dans une poche à pâtisserie. Réaliser un boudin
bien régulier le long des bandes. Rouler à l'aide du film alimentaire
pour former un cylindre. Disposer chaque cylindre sur un rectangle
de papier sulfurisé pour pouvoir le manipuler sans l'abimer.
Le faire chauffer 4 minutes dans un panier vapeur.

Pour le dressage, lustrer le cylindre à l'huile d'olive à l'aide d'un pinceau
et le faire glisser sur l'assiette. Disposer le soufflé à côté directement
à la sortie du four.
Finir avec les graines torréfiées et une pluche d'aneth.

**Pour monter des blancs ou de la crème sans fouet :
mettre une bille dans une bouteille en plastique, y
introduire les blancs d'œuf ou la crème, fermer et secouer.**

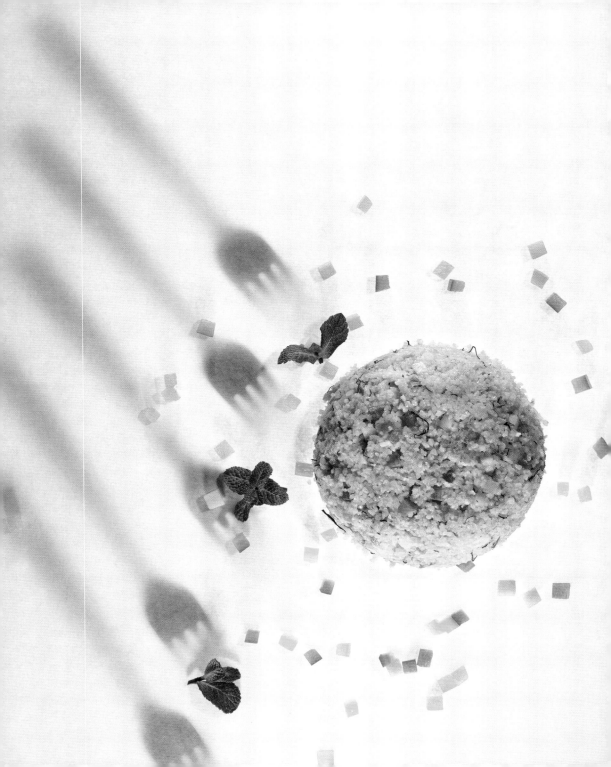

TABOULÉ

Pour 4 personnes

250 g de graines de couscous moyennes
1 citron
2 tomates
1 poivron vert
1 concombre
1 oignon
1 botte de persil
10 feuilles de menthe
1/2 botte de coriandre
10 cl d'huile d'olive
Sel, poivre du moulin

Mettre la semoule de couscous dans un saladier, faire gonfler
avec 2 verres d'eau chaude.
Bien mélanger avec le jus et les zestes du citron, et laisser gonfler.
Couper les tomates, le poivron, le concombre, l'oignon en petits cubes.
Ajouter le tout à la semoule puis ciseler les herbes (du jardin si possible).
Servir bien frais.
Voilà un plat bien rafraîchissant pour l'été.

Le temps de repos idéal est de 4 h au réfrigérateur avant de le servir.
Vous pouvez tester une variante avec du boulghour permettant d'alléger
cette salade dont tout le monde raffole dès les premiers rayons de soleil !
Vous cherchez une recette de taboulé qui change : aux asperges ou dattes
et poulet caramélisé.
Vous pouvez remplacer le citron par un autre agrume (pamplemousse,
orange...).

TARTE À LA TOMATE

Pour 3 personnes

1 pâte feuilletée
3 tomates
3 gousses d'ail
1 verre d'huile d'olive
1 botte de thym
Sel, poivre

Cuire la pâte feuilletée à blanc entre 2 plaques de cuisson.
Chauffer une casserole d'eau bouillante.
Après y avoir fait 2 petites incisions, plonger les tomates quelques secondes
dans l'eau bouillante, puis les plonger dans de l'eau glacée.
Les éplucher, les couper en pétales tout en ôtant un maximum d'eau
et de pépins puis les sécher avec du papier absorbant.
Après les avoir assaisonnées, les disposer en rosace sur la pâte cuite.
Hacher très finement l'ail et l'incorporer dans l'huile d'olive et réserver.
Préparer un saladier de la taille de l'abaisse de pâte.
Enflammer la petite botte de thym et la disposer sur la tarte, recouvrir le tout
avec le saladier, laisser poser 5 minutes puis retirer le saladier et le thym.
Recouvrir la tarte avec une fine pellicule d'huile d'olive à l'ail, passer au four
quelques secondes avant de servir.

 SYSTÈME D

Pour monder (éplucher) facilement les tomates,
faire une entaille en croix dans chaque tomate
et les plonger quelques secondes dans l'eau bouillante
puis dans l'eau glacée.

POISSONS

› HADDOCK À LA FONDUE D'ENDIVES
› RILLETTES DE HADDOCK
› TRUITE AUX AMANDES

HADDOCK À LA FONDUE D'ENDIVES

Pour 5 personnes

1 kg de haddock
1 l de lait
1 l d'eau
20 g de beurre
1 gros oignon blanc
1 échalote
3 gousses d'ail

1 kg d'endives
2 cuillerées à soupe d'huile d'olive
2 feuilles de laurier
100 g de lardons maigres
25 cl de vin blanc sec
2 cuillerées à soupe de fond de veau
Sel, poivre

Laver le haddock à grande eau et l'égoutter, puis le mettre
dans une casserole avec 1 l de lait et 1 l d'eau. Porter le tout à ébullition
et laisser frémir 15 minutes. Ensuite, égoutter le haddock,
le mettre dans le plat et arroser de beurre fondu.
Éplucher puis ciseler les oignons blancs, les échalotes et les gousses d'ail.
Laver les endives et couper en lamelles d'environ 1,5 cm.
Dans une cocotte, verser l'huile d'olive et chauffer. Faire revenir les oignons
blancs et les échalotes ainsi que l'ail ; lorsque l'ensemble commence
à être fondu ajouter les lardons ainsi que les feuilles de laurier.
Mélanger bien l'ensemble. Dans un bol, mélanger le vin blanc et le fond
de veau.
Ajouter dans la cocotte les endives coupées ainsi que le mélange fond
de veau et vin, saler très peu et poivrer à votre goût.
Bien mélanger le tout et laisser cuire environ 45 minutes à feu moyen
pour entretenir un léger bouillon. Mélanger régulièrement pour éviter
que cela accroche au fond de la cocotte, si nécessaire, ajouter un peu d'eau.

SYSTÈME D

Pour déssaler le poisson, il est indiqué d'ajouter
dans le lait un yaourt. L'acidité des ferments lactiques
du yaourt neutralisera le sel, tout en mortifiant la chair,
ce qui la rend plus tendre et moelleuse.

RILLETTES DE HADDOCK

Pour 5 personnes

300 g de haddock (2 filets)
1/2 l de lait demi-écrème
50 g de beurre pommade
50 g de mascarpone
100 g de pommes de terre
5 tranches pain de mie
1 botte de ciboulette

Faire blanchir le haddock dans un mélange de lait et d'eau pour l'adoucir.
Cuire les pommes de terre en robe des champs. Ciseler la ciboulette.
Faire toaster le pain et réaliser des triangles.
Battre doucement le haddock émietté et les pommes de terre.
Incorporer le beurre pommade et le mascarpone puis la ciboulette.
Dresser les rillettes sur les toasts.

TRUITE AUX AMANDES

Pour 8 personnes

8 truites de 250 g
Farine
100 g de beurre
190 g d'amandes effilées
2 citrons
1/2 botte de persil
1 cuillerée à soupe de vinaigre

Nettoyer les truites et les éponger, les saler, les fariner.
Chauffer le beurre dans une grande poêle, y dorer les truites
sur les deux faces puis baisser le feu et laisser la cuisson se poursuivre
10 à 12 minutes en les retournant une fois.
Dorer les amandes effilées dans une poêle ou au four, puis les ajouter
aux truites. Quand celles-ci sont cuites, les dresser dans le plat de service,
les arroser de 4 cuillerées à soupe de jus de citron et les parsemer de persil
ciselé. Les tenir au chaud.
Ajouter 40 g de beurre et le vinaigre dans la poêle, faire chauffer
et verser sur les truites en même temps que les amandes.

SYSTÈME D

Les amandes effilées peuvent être remplacées
par des pistaches concassées (ne pas les broyer
au mixeur : elles libéreraient l'huile qu'elles contiennent
et deviendraient pâteuses).

ŒUFS

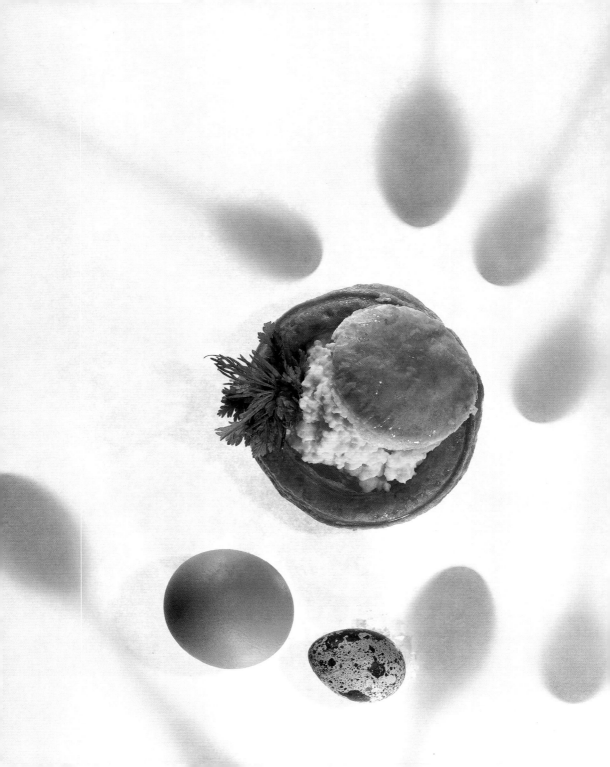

FEUILLETÉ DE BROUILLADE D'ŒUF

Pour 5 personnes

10 œufs
75 g de beurre
3 cuillerées à soupe de crème liquide
3 g de sel fin
Poivre blanc en poudre

Dans un saladier, casser les œufs et les battre légèrement.
Beurrer une poêle avec très peu de beurre et y verser les œufs battus.
Mettre sur feu très doux. Remuer régulièrement à l'aide d'une spatule
en veillant à bien décoller les œufs coagulés des bords.
Progressivement, le mélange va s'épaissir ; à ce moment là, arrêter la cuisson
avec le beurre froid en morceaux et la crème liquide

*Le fait de battre les œufs avant de les cuire permet de les liquéfier
et obtenir un mélange homogène, si de gros morceaux d'œufs apparaissent,
c'est que la température de cuisson est trop élevée. Le beurre froid
et la crème bloque l'inertie calorique et empêche les œufs de continuer
de cuire.
Il est possible d'alléger la préparation en fouettant la crème liquide
avant de l'incorporer délicatement.*

GLOUBI

Pour 3 personnes

8 œufs
1 boîte de thon
Quelques olives
1 paquet de chips

Faire deux omelettes en battant les œufs avec le thon et les olives.
Mettre les chips entre les deux omelettes et servir.

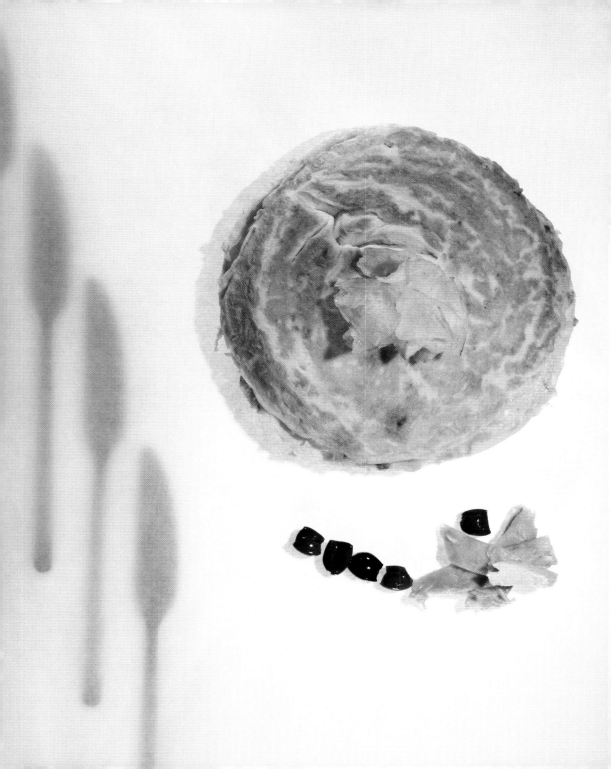

ŒUF MOLLET, CRÈME DE CIBOULETTE AUX PETITS LÉGUMES

Pour 4 personnes

4 œufs
100 g de fromage blanc
100 g de crème fraîche
1 botte de ciboulette
1 courgette
1 carotte
150 g de girolles
50 g de beurre
Ail
1 pâte feuilletée surgelée
Sel, poivre

Cuire les œufs 5 minutes puis les écaler. À part, mélanger le fromage blanc, la crème fraîche, la ciboulette, le sel et le poivre. Éplucher les courgettes et les carottes puis les couper en petits morceaux. Les blanchir 10 minutes à l'eau bouillante. Poêler les girolles avec le beurre et l'ail haché.
Après avoir déroulé la pâte feuilletée (décongelée), réaliser plusieurs découpes avec 2 emportes pièces de taille différentes (ou avec un verre ou un bol, par exemple) : un 1er de grande taille et un 2nd de plus petite taille. Découper 4 fonds. Ensuite avec le plus petit emporte pièce réaliser 4 bords. Coller les bords aux fonds de pâte à l'aide d'un jaune d'œuf diluer à l'eau. Cuire à 175 °C (th.6), 30 à 35 minutes. Laisser refroidir sur grille.
Ainsi vous avez comme base des feuilletés, ressemblant à une sorte de vol au vent, que vous pouvez garnir au gré de vos envies : œuf mollet, crème ciboulette, petits légumes sautés.

Œuf mollet avec coquille : prendre des œufs d'égale grosseur, les plonger dans l'eau bouillante, compter 5 minutes, les sortir de l'eau puis les passer sous l'eau très froide pour les écaler.

ŒUF, ARTICHAUT, MORNAY

Pour 5 personnes

Artichauts
15 artichauts camus
1 l d'eau
4 cuillerées de jus de citron
1 pincée de graines de coriandre
4 cuillerées à café d'huile d'olive
1 gousse d'ail
1 échalote
1 clou de girofle
1 céleri branche
Quelques feuilles de thym et de laurier
Un peu de cerfeuil

Sauce Mornay
100 g de beurre
70 g de farine
20 cl de crème liquide
60 cl de lait
150 g de bouillon de volaille
100 g d'emmental
Sel

Préparer les artichauts et les conserver dans de l'eau fraîche avec un jus de citron pour éviter l'oxydation. Faire torréfier les graines de coriandre dans une poêle. Ajouter l'huile et le reste de la garniture. Faire suer, ajouter les artichauts bien égouttés puis déglacer avec l'eau.
Porter à ébullition puis les cuire dans le bouillon à petit frémissement pendant 15 minutes. Les laisser refroidir dans leur le jus de cuisson.
Pour la sauce Mornay, réaliser un roux en faisant fondre le beurre dans une casserole. Dès qu'il commence à mousser, ajouter en pluie la farine, cuire pendant 5 minutes en mélangeant à la spatule.
Faire bouillir les liquides et lier avec le roux, cuire quelques minutes, ajouter l'emmental râpé. Vérifier l'assaisonnement, réserver.
Déposer sur chaque fond d'artichaut un œuf mollet, le napper de sauce Mornay à la poche pâtisserie. Faire gratiner sous le gril du four et déposer en finition une pluche de cerfeuil.

VIANDES

BALLOTINE DE VOLAILLE

Pour 10 personnes

Farce fine de volaille
200 g de blanc de volaille
30 cl de crème liquide
30 g d'abricot
30 g de pruneaux d'Agen
Sel, poivre blanc

Ballotine
250 g de foie gras dénervé
200 g de farce fine
1 volaille désossée
1 cuillerée à café d'un mélange de 4 épices
Sel, poivre

Artichaut barigoule
20 artichauts poivrade
3 cuillerées à soupe d'huile d'olive

2 cuillerées à soupe de jus de citron
2 zestes de citron
2 zestes d'orange
1 cuillerée de graines de coriandre
1 gousse d'ail
1 échalote
1 branche de persil
1 céleri branche
1 branche de thym
1 feuille de laurier
20 cl d'eau
20 cl de vin blanc
3 cuillerées à soupe de vinaigre
Sel

Mélanger les blancs de volaille, la crème liquide, du sel et du poivre au mixeur.
Passer le tout au tamis.
Couper les abricots et les pruneaux en brunoise.
Mélanger le tout pour obtenir la farce fine.
Placer la farce fine, puis le foie gras sur la volaille désossée.
Assaisonner, puis rouler le tout dans un torchon en serrant fermement.
Faire cuire dans une eau chauffée à 65 °C pendant 2 h 30.
Laisser refroidir hors du feu.
Faire revenir légèrement les artichauts préparés et tous les ingrédients
sauf les liquides dans l'huile d'olive.
Déglacer (ajouter les liquide et gratter les sucs dans la poêle)
avec le mélange eau, vin blanc, vinaigre.
Faire réduire le liquide tout en retournant les artichauts en cours de cuisson.

CROQUE-MONSIEUR

Pour 6 croques

Béchamel au Kiri
30 mg de farine
30 mg de beurre
1,5 litres de lait
150 g de vache qui rit
30 mg de fromage râpé
Muscade
Sel, poivre

Finition
12 tranches de pain de mie blanc (d'1,5 cm d'épaisseur)
300 mg de béchamel au Kiri
480 mg de jambon blanc
480 mg d'emmental
60 mg de beurre

Pour la béchamel : dans une casserole, mettre la farine et le beurre froid coupé en cubes, faire fondre la beurre en remuant sans s'arrêter puis ajouter le lait doucement, cuire la béchamel et finir par ajouter la vache qui rit et le fromage râpé, assaisonner.

Beurrer l'intérieur de deux tranches de pain avec la béchamel au Kiri.
Monter dans cet ordre :
– Emmental
– Jambon
– Emmental
– Jambon
Faire le sandwich et beurrer les deux tranches de pain sur l'extérieur.

Chauffer à sec dans une poêle et trancher en longueur.

Vérifier la chaleur à chaque fois.

HAMBURGER

Pour 1 personne

Pâte à tempura
1 blanc d'œuf
100 g de farine
15 cl d'eau glacée
Sel
Huile de friture

Hamburger
10 g d'oignon rouge
1 bun's
1 steak haché
2 cuillerées à soupe de sauce barbecue
20 g de cornichons tranchés

Pour la pâte à tempura, mélanger les ingrédients jusqu'à ce que la pâte
soit bien lisse.
Tailler des grosses tranches d'oignon rouge. Toaster le pain.
Cuire le steak haché.
Masquer le pain avec la sauce barbecue, disposer les cornichons
puis le steak.
Passer les rondelles d'oignon dans la pâte à tempura, puis faire frire
à la friteuse (ou à la sauteuse dans une grande quantité d'huile bien chaude).

MIGNON DE VEAU AUX CÂPRES

Pour 5 personnes

1 kg de mignon de veau
10 cl de vin blanc
30 g de fond de veau brun
1 cuillerée à soupe de concentré de tomate
10 cl de crème
100 g de câpres de Sicile
2 cuillerées à soupe d'huile

Faire dorer le veau sur toutes les faces dans une sauteuse
avec un peu de matière grasse puis le laisser cuire à feu doux.
Une fois cuit, le retirer de la sauteuse et réserver.
Dégraisser la sauteuse puis ajouter le vin blanc et le réduire, à feu assez fort,
presque à sec.
Ajouter le fond brun dans 40 cl d'eau avec le concentré de tomate
et la crème.
Réduire et passer au chinois, adjoindre les câpres.
Remettre le veau dans la sauteuse et servir.

SYSTÈME D

Si vous n'avez pas de câpres de Sicile,
utilisez des cornichons coupés en petites rondelles.

PÂTÉ EN CROÛTE

Pour 10 personnes

Pâte à pâté
500 g de farine
2 cuillerées à café de sucre
2 jaunes d'œufs
20 cl de lait
2 cuillerées à café de sel

Farce fine
1 kg de blancs de volaille hachés
500 g de chaire a saucisse
12,5 cl de vin blanc
175 g de fois gras coupé en dés
175 g de foies de volaille
coupés en dés
300 g de lard gras
100 g de graisse de viandes

2 œufs
1 pincée de mélange de 4 épices
1 carotte
1 oignon
1 filet de canard
Maïzena
1 cuillerée à café de sel
1 pincée de poivre

Gélatine
1 l de consommé de volaille
12 feuilles de gélatine (à faire
tremper dans de l'eau glacée)
4 jaunes d'œufs

Pour la pâte à pâté, mélanger tous les ingrédients et laisser reposer une nuit au frigo.
Pour la farce fine mélanger tout les ingrédients.
Étaler la pâte a pâté qui a reposé une nuit au Frigo puis en tapisser un moule.
Mettre la farce fine dedans. Refermer la pâte joliment.
Faire 2 trous sur le dessus pour laisser échapper la chaleur à la cuisson
et dorer au jaune d'œuf à l'aide d'un pinceau.
Cuire 40 minutes au four à 180 °C (th. 6). Pour la gélatine, le lendemain
de la cuisson du pâté, infiltrer ce mélange liquide via les 2 trous du dessus.
Laisser refroidir 3 heures minimum au frigo avant de servir.

SYSTÈME D

Ne pas tout mélanger trop vite, mais petit à petit
sinon cela fait des grumeaux !

POITRINE DE PORC LAQUÉE ET POTATOES

Pour 4 personnes

800 g de poitrine de porc (4 tranches de 1,5 à 2 cm d'épaisseur)
15 pommes de terre de type
50 cl de jus de viande ou de fond de veau
1 botte de thym
8 feuilles de laurier
Huile de friture
Sel, poivre

Laver les pommes de terre, ne pas les éplucher avant de les couper
en 8 quartiers chacune.
Les blanchir pendant 4 à 5 mn dans l'eau bouillante.
Dans une poêle bien chaude, saisir les tranches de poitrine jusqu'à
obtenir une belle coloration et ajouter le jus de viande, mouiller légèrement.
Ajouter le thym et le laurier et laisser réduire à feu vif en arrosant
fréquemment avec le jus jusqu'à ce que la poitrine soit complètement laquée.
Faire frire les potatoes dans l'huile brûlante. Assaisonner.

POULET AU VINAIGRE DE XÉRÈS

Pour 4 personnes

1 kg de poulet découpé
10 cl d'huile d'olive
Vinaigre de Xérès
1 l de fond de volaille
1 botte de thym
1 botte de laurier
Sel, poivre

Riz Pilaf
400 g de riz
80 g de beurre
50 g d'échalotes
1/2 l d'eau
100 g d'oignon

Faire dorer les morceaux de poulet dans l'huile d'olive. Déglacer
avec le vinaigre de Xérès. Préparer le fond de volaille. Remettre le poulet
après le déglaçage. Mettre le fond de volaille sur le poulet.
Rajouter le bouquet garni, thym et laurier ficelé.

Riz Pilaf
Faire revenir le riz dans le beurre, ajouter l'oignon et l'échalote.
Le mouiller avec un 1/2 l d'eau. Laisser cuire.
Après cuisson, mettre dans le four pendant 15 à 20 minutes.

SYSTÈME D

Pour un riz pilaf réussi :
compter 1 volume de riz pour 1,5 volume de bouillon,
porter à ébullition et couvrir.

SAUTEÉ DE VEAU À L'ANCIENNE

Pour 4 personnes

800 g de noix de veau
100 g de beurre
3 cuillerées à soupe d'huile
100 g d'oignons
1 gousse d'ail
300 g de tomates
200 g de carottes
20 cl de fond de veau dilué
150 g de navets
300 g de girolles
Sel, poivre du moulin

Faire dorer la pièce de veau dans le beurre et l'huile.
Ciseler finement oignons et ail haché.
Faire suer après avoir saupoudré légèrement les sucs à la farine.
Ajouter les tomates mondées, épépinées, concassées et le fond de veau afin de cuire.
Éplucher les carottes, les navets, les échalotes et les couper.
Glacer : ajouter un mélange eau, sucre, beurre, sel, poivre.
Poêler les girolles au beurre.
Rassembler le tout dans la cocotte : carottes, navets, girolles ;
et pour finir la cuisson laisser mijoter 10 à 15 minutes.

SYSTÈME D

Pour faire bouillir plus vite l'eau, mettre une goutte d'huile sur la plaque avant d'y déposer la casserole d'eau.

SUPRÊME DE VOLAILLE AU CURRY

Pour 6 personnes

6 blancs de poulet
50 g d'oignon
10 cl d'huile d'olive
20 g de farine de blé
40 g d'amandes effilées
2 cuillerées à café de curry
1 cuillerée à café de curcuma en poudre
20 cl d'eau
20 cl de crème liquide entière ou 20 cl de lait de coco
2 cuillerées à soupe de jus de citron
Sel, poivre du moulin

Couper les blancs de poulet en 6 morceaux.
Éplucher puis ciseler finement l'oignon.
Dans une poêle très chaude, avec un filet d'huile d'olive, colorer les morceaux
de poulet sur toutes les faces 4 à 5 minutes.
Ajouter l'oignon, faire suer puis saupoudrer de farine et colorer au four.
Ajouter les amandes effilées, assaisonner avec les épices (curry et curcuma).
Déglacer avec de l'eau, la crème (ou du lait de coco). Cuire 5 minutes
puis rectifier l'assaisonnement. Finir avec quelques gouttes de jus de citron,
servir aussitôt.

SYSTÈME D

Pour plus de parfum, faites mariner vos suprêmes
de volaille dans du lait de coco quelques heures.

DESSERTS

FIGUES AU CITRON VERT

Pour 6 personnes

1 kg de figues fraîches
100 g de miel
2 citrons vert

Laver et couper les figues en rondelles d'1,5 centimètre d'épaisseur.
Dans une poêle, faire chauffer le miel et le jus des citrons
et faire un aller-retour avec les rondelles de figues
puis les disposer joliment dans une assiette avant de les parsemer
de zestes de citron vert.
Servir tiède.

SYSTÈME D

Saupoudrer avec quelques spéculos émiettés
pour apporter du croustillant.

ÎLE FLOTTANTE

Pour 4 personnes

Crème anglaise
1 l de lait
1 gousse de vanille
10 jaunes d'œufs
200 g de sucre semoule

Îles
10 blancs d'œufs
100 g de sucre semoule
1 l de lait

Pour la crème anglaise, mettre à bouillir le lait et la vanille.
Mettre les jaunes d'œufs et le sucre dans un saladier et fouetter
jusqu'à ce que le mélange blanchisse.
Lorsque le lait est à ébullition retirer la gousse de vanille.
Hors du feu, incorporer les jaunes d'œufs blanchis au lait bouillant
puis remettre la casserole à feu doux.
Cuire la crème sans cesser de remuer (le liquide ne doit pas bouillir).
Lorsque la crème nappe la spatule, mettre la préparation dans un saladier.
Réserver au froid.

Pour les îles, monter les blancs d'œufs en neige, lorsque les œufs
commencent à monter, incorporer le sucre semoule et serrer les blancs
très fermement. Dans une casserole, faire bouillir le lait.
À l'aide d'une cuillère former de belles boules de meringue.
Pocher les boules dans le lait à peine frémissant pendant 15 minutes.
Égoutter et dresser les îles flottantes dans la crème anglaise refroidie.

Pour monter les blancs en neige sans batteur, verser les blancs
dans une bouteille en plastique puis remettre le bouchon.
Secouer jusqu'à ce que les blancs soient bien fermes, puis découper
le haut de la bouteille et verser les blancs montés dans un récipient.

SYSTÈME D

Pour obtenir une meringue lisse et ferme,
incorporer 1 cuillerée à soupe de sucre glace au dernier
moment, lors de la montée des blancs.

MOUSSE CHOCOLAT AUX FRAISES

Pour 10 personnes

500 g de sucre semoule
200 g de chocolat noir
500 g de beurre
7 œufs
Extrait de café
200 g de noix hachées
2 oranges
200 g de fraises
200 g de crème liquide
200 g d'amandes effilées

Dans une casserole, faire un sirop avec le sucre et de l'eau à hauteur
(l'eau doit juste recouvrir le sucre), puis verser le chocolat.
Hors du feu, ajouter 30 g de beurre et les jaunes d'œufs, de l'extrait de café
et laisser refroidir.
Incorporer les blancs d'œufs montés et sucrés.
Parsemer de noix hachées et de zeste d'orange.
Verser la mousse au chocolat dans un saladier et au froid.
Monter la crème en chantilly.
Au moment de servir, disposer sur la mousse une pyramide de fraises
avec une pointe de chantilly dans les trous et des amandes effilées grillées.

SYSTÈME D

Vous pouvez aussi réaliser cette recette avec du chocolat
au lait et du citron vert finement râpé.

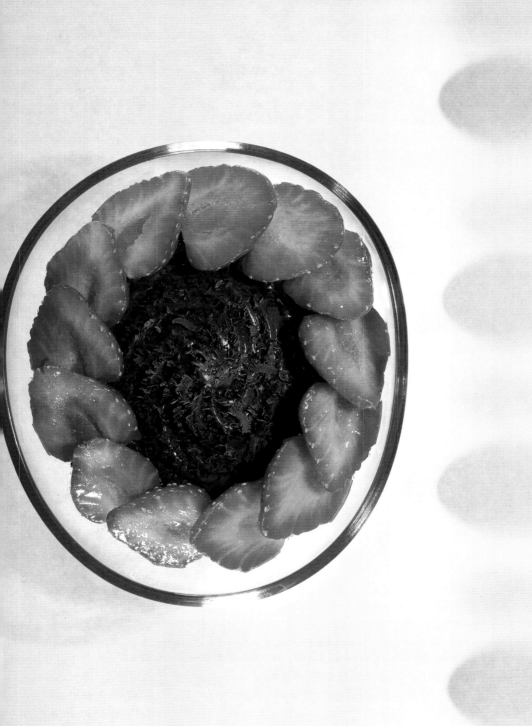

PROFITEROLES AUX MARRONS

Pour environ 75 choux

Pâte à choux
50 cl d'eau
218 g de beurre
1,5 cuillerée à café de sel
1 cuillerée à café de sucre
285 g de farine
9 œufs

Mousseline marron
15 cl de lait
500 g de crème de marrons
3 jaunes d'œufs
10 g d'amidon de maïs
350 g de beurre

Sauce au chocolat
300 g de chocolat
45 cl de lait

Faire bouillir l'eau, le beurre, le sel et le sucre.
Incorporer la farine, mélanger afin d'obtenir une masse homogène,
mélanger jusqu'à obtenir une préparation qui ne colle plus aux parois
de la casserole et, au batteur, incorporer les œufs.
Faire des boules sur une plaque à l'aide d'une poche à douille
de 14 millimètres de diamètres. Et les mettre au four à 190° C (th. 6)
pendant 35 minutes.
Pour la mousseline de marron, cuire tous les ingrédients sauf le beurre
à 98 °C. En fin de cuisson, ajouter le beurre et émulsionner.
Mettre à refroidir aussitôt au réfrigérateur.
Chauffer le lait, verser sur le chocolat et bien mélanger

SYSTÈME D

Si vous n'aimez pas la crème,
vous pouvez décuire votre caramel avec du jus de fruit
(orange, fruits de la passion...)

TARTE À LA CRÈME

Pour 10-12 personnes

Pâte
270 g de farine
1 pincée de sel
100 g de beurre
2 œufs entiers
1 jaune d'œuf
30 g de sucre

Garniture
50 cl de crème épaisse
100 g de sucre roux

Mélanger la farine, le sel, le beurre, les œufs et le jaune jusqu'à obtention d'une pâte homogène.
Étaler la pâte sur 1/2 centimètre d'épaisseur avant de la placer dans un moule préalablement beurré.
Piquer le fond de la pâte avec une fourchette et saupoudrer de sucre avant de l'enfourner 10 minutes dans un four chauffé à 180 °C (th. 6).
Une fois la pâte blanchie, verser le mélange de crème et de sucre roux dessus avant de la remettre à cuire environ 20 minutes.

TARTE AU CHOCOLAT

Pour 8 personnes

Pâte
900 g de beurre
400 g de sucre
400 g de poudre d'amande
6 œufs entiers
1,4 kg de farine
120 g de cacao en poudre

Ganache
450 g de crème liquide
3 cuillerées à soupe de miel
405 g de chocolat noir
210 g de beurre

Mélanger le beurre ramolli et le sucre au batteur.
Ajouter la poudre d'amandes, les œufs, la farine puis le cacao en poudre.
Augmenter la vitesse du batteur, jusqu'à l'obtention d'une pâte homogène.
Réserver 30 minutes. Etaler ensuite la pâte à 4 millimètres d'épaisseur.
Mettre dans un plat à tarte et cuire à 180 °C (th. 6) pendant 12 minutes.
Faire bouillir la crème et le miel. Verser sur le chocolat fondu
puis ajouter le beurre et mixer. Garnir le fond de tarte.
Laisser reposer 35 à 40 minutes à température ambiante
jusqu'à ce que la ganache fige.

SYSTÈME D

Pour mixer sans éclabousser : prendre du papier sulfurisé,
faire un trou au centre, y passer le manche du mixeur.
Le papier couvrira ainsi le saladier et évitera
les éclaboussures !

TARTE AUX MELONS

Pour 10-12 personnes

1 melon

Pâte
900 g de beurre
400 g de sucre
400 g de poudre d'amande
6 œufs entiers
1,4 kg de farine

Crème vanille
5 jaunes d'œufs
200 g de sucre
100 g de Maïzena
1 l de lait entier
1 gousse de vanille
200 g de beurre
200 g de nappage blond

Éplucher et épépiner le melon et le couper en jolies lamelles.
Mélanger le beurre et le sucre au batteur, ajouter la poudre d'amandes,
les œufs, la farine. Augmenter la vitesse du batteur, jusqu'à l'obtention
d'une pâte homogène. Réserver 30 minutes.
Étaler ensuite la pâte à 4 millimètres d'épaisseur et la mettre dans un plat
à tarte et cuire à 180 °C (th. 6) pendant 12 minutes.
Pour préparer la crème vanille, mélanger les jaunes, le sucre, et la fécule
de maïs. Délayer cette préparation avec un peu de lait chaud avant de tout
reverser dans la casserole pour y cuire la crème pâtissière. En fin de cuisson,
hors du feu, incorporer le beurre, à la crème à pâtisserie à l'aide d'un mixeur,
avant de la faire refroidir au réfrigérateur. Garnir le fond de tarte au 3/4.
Disposer joliment les lamelles de melon sur la crème avant de les recouvrir
de nappage blond.

TARTE AUX POMMES

Pour 4 personnes

4 pommes Golden
1 pâte feuilletée
75 g de beurre fondu
100 g de sucre roux
1 gousse de vanille

Préchauffer le four à 180 °C (th. 6)
Éplucher les pommes en les laissant entières et les évider
avec un vide-pomme ou un couteau, les tailler de façon à obtenir de fines
rondelles percées d'un trou central.
Pré-cuire la pâte au four entre 2 plaques à pâtisserie pendant 10 minutes.
Lorsqu'elle a refroidie, y détailler 4 cercles avec un emporte-pièce
(à défaut, avec un bol).
Disposer les rondelles de pommes sur les cercles en rosace :
faire un tour complet dans un sens et le suivant dans l'autre sens.
Entre chaque étage de pommes, avec un pinceau, étaler un peu de beurre,
de sucre roux et de vanille égrainée.
Veiller à ce que les nouvelles rondelles se chevauchent de manière
à cacher le trou central.
Enfourner 12 minutes à 180 °C (th. 6).

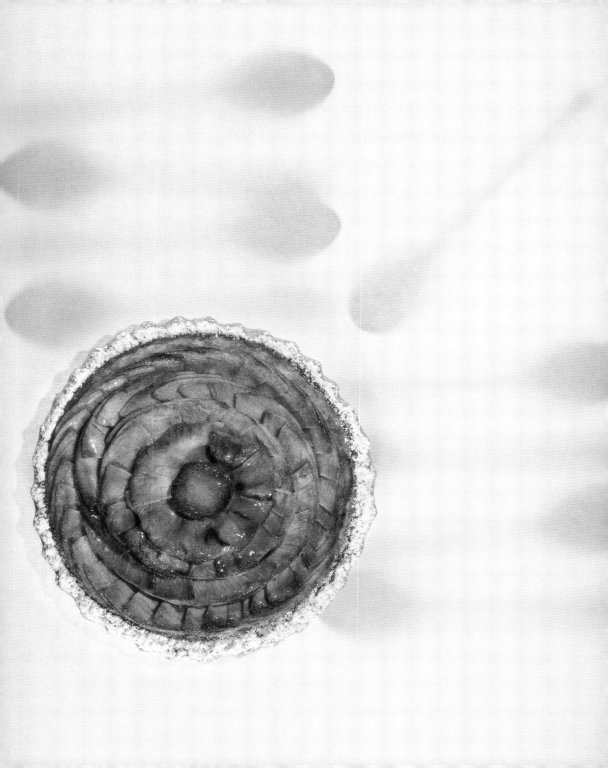

TARTE TATIN

Pour 6-8 personnes

1 kg de pommes à cuire

Pâte brisée
250 g de farine
1 cuillerée à café de sel
50 g de sucre
5 cl d'eau
2 jaunes d'œuf
125 g de beurre

Caramel
200 g de sucre
50 g de beurre

Éplucher, vider et couper les pommes en deux.
Mélanger les ingrédients de la pâte, une fois la préparation homogène,
l'étaler puis la réserver au réfrigérateur.
Faire chauffer à feu doux le sucre avec un peu d'eau jusqu'à ce qu'il prenne
une teinte caramel et le faire couler dans le fond d'un moule à tarte
de 22 à 24 centimètres de diamètre. En laissant quelques millimètres
d'espace sur les bords du moule, répartir les pommes en corolles
et les parsemer sur le beurre. Recouvrir ensuite les pommes avec la pâte
brisée en veillant à l'insérer délicatement entre les pommes et le rebord
du moule.
Enfourner le plat à 160 °C (th. 5/6) pendant 45 à 50 minutes,
laisser reposer 4 à 5 minutes et retourner sur une assiette.

Quelques astuces

Four de fortune : récupérer des briques de lait vides et les assembler afin de faire un coffrage. Démarrer la cuisson sur le feu pour un soufflé ou pour du pain et venir couvrir avec ce coffrage.

Pour éplucher un poivron sans peine : griller à la flamme, enfermé dans une poche plastique, patienter 5 minutes, rincer sous le robinet. Vous pourrez alors décoller la peau très facilement. Parfait pour salade niçoise par exemple !

Découper une sole avec une roulette à pizza affûtée légèrement pour suivre la forme de la sole.

Œufs pochés : mettre 3 œufs maximum par casserole (petite quantité). Casser l'œuf dans une tasse à moka, rajouter une cuillerée à café de vinaigre blanc, l'approcher de la surface de l'eau frémissante (mais jamais à ébullition) et retourner d'un coup sec. Cuire 3 minutes.

Dédicaces et « petits mots »

« Étant originaire de l'île Maurice, l'influence indienne occupe une place importante dans ma culture culinaire, j'ai donc voulu faire partager les émotions que le subtile parfum des épices m'apporte quand je cuisine. »
« Cuisiner suppose une tête légère, un esprit généreux et un cœur large ».
Paul Gauguin

Popo

« J'ai appris à cuisiner avec ma mère, je veux lui rendre hommage : ces recettes sont pour toi ! Rien n'est difficile dans la cuisine, il suffit d'aimer et réaliser avec beaucoup de cœur. La cuisine, pour moi, c'est du plaisir. Une fois par semaine, je voyage à travers ces recettes ».

Abdel

« Personnellement, ce qui m'a plu durant l'élaboration de ce livre, a été la richesse de l'échange culturel. Chacun (stagiaires et intervenants) partageant émotions et souvenirs autour de la cuisine ».

Julien

« Moi, j'ai découvert les sucs ! Je vois la différence maintenant. Je comprends l'utilité de récupérer les sucs de viande, à partir de là vous glacez, déglacez, mouillez... cela prépare un fond de cuisson savoureux qui peut être accommodé sous différentes formes. Vous pouvez commencer à vous considérer « cuisinier ».
« Enthousiasme, Bonheur, Débrouille et Méthode ! »

E.B.D.M

« Merci, pour les petits trucs et astuces, qui font d'un plat ordinaire un grand plat ! »

Loïc

« Révolutionnaire dans sa cuisine, Thierry Marx nous a donné une formidable leçon de valeurs humaines. Ses cours, dans notre milieu décrié, m'ont appris que rien n'est définitivement perdu. Il a fait revivre en moi l'espoir, m'a appris le goût des produits nobles et qu'on pouvait servir (à) nos semblables. »

Pascal

Sébastien reprend une citation de Jean Jacques Rousseau qui lui ressemble :
« J'aime mieux être un homme de paradoxes qu'un homme à préjugés ».

Moussa n'aime pas parler de lui, lorsqu'on lui pose quelques questions,
il incline légèrement la tête et vous lance un grand sourire désarmant :
« ... goûtez plutôt ! »

Le mot du professeur de cuisine

Très complémentaire de la formation initiale, ce travail fut pour les stagiaires
une expérience motivante et valorisante. Tous y ont apporté entrain et bonne
humeur, n'économisant ni leur temps ni leur énergie. La rencontre avec le chef
Thierry Marx fut pour eux un grand moment, ils ont apprécié l'homme
et sa générosité. Ils ont découvert des produits d'exception.
J'ai été heureux de les accompagner dans cette aventure.

Michel Delaunay

Le mot du conseiller en formation continue

Ce livre est à mon sens bien plus qu'un livre. Il est l'aboutissement d'un projet,
la « cerise sur le gâteau », dans lequel les ateliers de monsieur Marx ont été
un véritable catalyseur. S'inscrivant dans le cadre d'une formation au Bac Pro
Cuisine, la participation des stagiaires à la réalisation de cet ouvrage
a notamment permis, sur le plan pédagogique, de mettre en synergie
l'expression écrite et culinaire. Sur le plan humain, la présence du chef étoilé
au sein de la prison a offert, au delà des murs, une reconnaissance
et une valorisation des participants qui favorisera certainement
leur réhabilitation future. Je tiens à rendre ici hommage à monsieur Marx
pour sa capacité à extraire le meilleur tant des aliments qu'il prépare
que des humains qu'il côtoie.

Jean-Christophe Lebrun

Postambule

Dès son origine, l'initiative d'écrire un livre de recettes avec M. Thierry Marx
a séduit les stagiaires de ce Bac Pro « un peu spécial ».
Elle est apparue comme un rendez-vous à ne pas manquer. L'enthousiasme était palpable.
Ni héros ni enfants de chœur, ils se sont appropriés l'idée et se sont lancés dans l'aventure ;
ils ont suivi l'objectif avec la foi d'élèves parfaits.
Ils se sont découverts, entraidés, apostrophés, bousculés... fixés sur l'objectif « cuisine ».
Ils ont pensé ensemble à la meilleure façon de mener à bien leur « truc » commun
et ils se sont sentis plus forts.
Ils ont eu, tour à tour et parfois en même temps, le trac de rater, le plaisir de faire goûter,
le doute de ne pas y arriver, la confiance pour demander conseil,
la joie de rire et de construire ensemble quelque chose !
Quittant pour quelques heures leur « milieu contraint »,
ils se seraient presque sentis « libres ».

Christiane Charissou
(prof. de français)

Le réseau des GRETA est le dispositif de « Formation tout au long de la vie »
de l'Éducation nationale. Regroupant les établissements d'enseignement public
d'un même territoire, un GRETA (GRoupement d'ETAblissements)
s'appuie sur les ressources des lycées et collèges adhérents
pour offrir de la formation continue, dans le respect des valeurs du service public.
Créé en 1973, le réseau des GRETA est aujourd'hui le premier organisme
de formation d'adultes en France.

Le GRETA Seine en Yvelines organise depuis plus de 30 ans des formations aux métiers
de bouche à la maison centrale de Poissy. En permettant aux personnes détenues d'accéder
à des formations diplomantes, nous assurons une mission d'insertion et de promotion sociale
traditionnellement dévolue à l'Éducation nationale. La formation continue incarne ici parfaitement
un de ses principes fondateurs, celui d'offrir à chacun une seconde chance.
Hervé BLIN, Président du GRETA Seine en Yvelines.

Transgourmet, spécialiste de la livraison de produits frais, surgelés et épicerie,
est fier d'avoir livré les marchandises nécessaires à l'élaboration des recettes de ce livre.
Comme pour 60 000 autres clients, le Groupe Transgourmet approvisionne les centres
pénitentiaires de France ; il est un référent dans la distribution de produits alimentaires
et non alimentaires aux professionnels de la restauration et de la boulangerie-pâtisserie.
Animé de valeurs simples et fortes (fiabilité, sens du défi et créativité), le Groupe rassemble
3 600 collaborateurs et propose plus de 12 000 références de produits.
Transgourmet est engagé dans la promotion du métier de la restauration,
auprès d'associations professionnelles et de CFA, et soutient de nombreuses initiatives.
Chaque année, Transgourmet organise Les Chefs en or,
grand concours culinaire national depuis 2004.

TRANSGOURMET
france

Achevé d'imprimer en avril 2013
par Pollina, Luçon - L64626